Gelingendes Recht

Gelingendes Recht

Über die ästhetische Dimension des Rechts

Herausgegeben von

Joachim Lege

Mohr Siebeck

Joachim Lege, geboren 1957; seit 2003 Inhaber des Lehrstuhls für Öffentliches Recht, Verfassungsgeschichte, Rechts- und Staatsphilosophie an der Ernst-Moritz-Arndt-Universität Greifswald; seit 2015 Vorsitzender des Deutschen Juristen-Fakultätentags.

ISBN 978-3-16-157034-6 / eISBN 978-3-16-157035-3
DOI 10.1628/978-3-16-157035-3

Die Deutsche Nationalbibliothek verzeichnet diese Publikation in der Deutschen Nationalbibliographie; detaillierte bibliographische Daten sind über *http://dnb.dnb.de* abrufbar.

Das Buch wurde von Gulde Druck in Tübingen aus der Times New Roman gesetzt, auf alterungsbeständiges Werkdruckpapier gedruckt und gebunden.

Printed in Germany.

Inhaltsverzeichnis

Vorwort VII
Abkürzungsverzeichnis IX

Joachim Lege
Einführung: Von der Wahrnehmung über die Methode zum Gelingen . . 1

Helene Bubrowski
Eine ganz eigene Ästhetik
Warum sind unsere Gesetze nicht schön, schlank und verständlich? . . . 5

Hans-Joachim Strauch
Die Ästhetik richterlicher Erkenntnis 9

Kai-Michael Hingst
Die Ästhetik anwaltlicher Erkenntnis 25

Eva Maria Belser
Die Befriedung von Krisengebieten durch das Recht
Einige Gedanken zu den Bedingungen gelingender Verfassunggebung
in Zeiten des Aufruhrs 43

Götz Schulze †
Die Ästhetisierung des Rechts in Theorie und Praxis 65

Maximilian Wolf
Die Schönheit der Eingriffskondiktion
Am Beispiel höchstpersönlicher Rechtsgüter 85

Martin Groß
Ästhetik als Herausforderung in der Fallbearbeitung
Eine Vorstudie 101

Autorenverzeichnis 109

Vorwort

Der Deutsche Juristen-Fakultätentag e.V. (DJFT) ist der Zusammenschluss der 45 Juristischen Fakultäten Deutschlands sowie von zehn deutschsprachigen Rechtsfakultäten im Ausland. Zu seinen Aufgaben gehören die Wahrung und Förderung der Rechtswissenschaft, verstanden als Einheit von Forschung und Lehre, und die Vertretung seiner Mitglieder in Politik und Berufswelt.

Vereinszweck ist des weiteren die Vertretung der Rechtswissenschaft in der Öffentlichkeit. Nicht zuletzt diesem Zweck diente die erste Fachtagung des DJFT, die am 8. und 9. Juni 2018 in Greifswald stattfand. Dabei war das gewählte Thema „Gelingendes Recht – Über die ästhetische Dimension des Rechts“ durchaus ein gewisses Wagnis: Unter „Ästhetik“ wird auf den ersten Blick die Lehre vom Schönen, gar vom Gefälligen verstanden. Ihrem griechischen Ursprung nach ist Ästhetik jedoch die Lehre von der Wahrnehmung (griechisch *aísthēsis*). In diesem Sinn findet sie sich etwa in Kants „Kritik der reinen Vernunft“. Vor allem aber ist Ästhetik, in diesem Sinn, höchst aktuell: Die zur Zeit in Wirtschaft und Politik überaus einflussreichen Kognitionswissenschaften mit ihrer Lehre von den Verzerrungen *(biases)* der Wahrnehmung *(Daniel Kahneman)* und mit den daraus folgenden Empfehlungen für effektives Handeln *(„nudge“, Cass Sunstein)* thematisieren letztlich nichts anderes als die Frage, wie trotz der notwendig stets begrenzten Wahrnehmung von Problemen dennoch sachgerechte Lösungen gefunden – oder eben auch verfehlt werden können. Dass sich diese Frage nach Gelingen oder Misslingen auch dem Recht stellt, liegt auf der Hand.

Der vorliegende Band dokumentiert die Vorträge, die auf dieser Tagung gehalten wurden. Die Autoren entstammen nicht nur dem Kreis der akademischen Rechtswissenschaft, sondern auch der Richterschaft, der Anwaltschaft und der staatlich-juristischen Prüfungspraxis (ein Thema, das den DJFT häufig beschäftigt). Auf diesem Weg soll deutlich werden, dass sich auch die juristische „Praxis“ als reflektierende Rechtswissenschaft versteht – und dass gerade deshalb im Jurastudium die Stärkung der sogenannten Grundlagenfächer ein Desiderat ist.

Mit großer Trauer muss ich kundtun: Der geistige Mit-Urheber dieser Tagung, mein hochverehrter Kollege Prof. Dr. *Götz Schulze*, Dekan der Potsdamer Fakultät, ist am 30. Oktober 2018 überraschend gestorben. Aber ich bin froh, in diesem

Band das Ergebnis seiner Überlegungen zur Ästhetik des Rechts präsentieren zu können. Mein Dank „für alles" gilt zuallererst ihm und seiner Witwe, Frau Dr. Dr. *Katharina Schulze*.

Der weitere Dank geht an die Kolleginnen und Kollegen im Vorstand des DJFT, die das Vorhaben unterstützt haben, außerdem an meine Mitarbeiterinnen und Mitarbeiter in Greifswald, vor allem *Jana Prieß*, *Christian Wuntke* und *Paul Teubner*. Großer Dank für die Förderung der Tagung gebührt zudem der Alfried Krupp von Bohlen und Halbach-Stiftung und der Juristischen Studiengesellschaft Vorpommern e.V., vertreten durch die Präsidentin des Oberverwaltungsgerichts Greifswald und des Landesverfassungsgerichts Mecklenburg-Vorpommern i.R. *Hannelore Kohl*; ferner dem Alfried Krupp Wissenschaftskolleg zu Greifswald, in dessen Räumen sie stattfand, und dort vor allem Dr. *Christian Suhm* für die wie immer reibungslose Zusammenarbeit.

Besonders zu danken habe ich schließlich allen Besuchern und Teilnehmern der Tagung: Ihr Interesse und ihre Offenheit haben sie erst wirklich gelingen lassen.

Greifswald, im Januar 2019

Prof. Dr. Joachim Lege
Vorsitzender des Deutschen
Juristen-Fakultätentags e.V.

Abkürzungsverzeichnis

Abs.	Absatz
a. F.	alte Fassung
AfP	Zeitschrift für das gesamte Medienrecht (Zeitschrift)
Alt.	Alternative
AO	Abgabenordnung
Art.	Artikel
Aufl.	Auflage
Az.	Aktenzeichen
BaFin	Bundesanstalt für Finanzdienstleistungsaufsicht
BeckOGK	Beck'scher Online-Großkommentar
BeckOK	Beck'scher Online-Kommentar
Bd.	Band
BGB	Bürgerliches Gesetzbuch
BGH	Bundesgerichtshof
BGHZ	Amtliche Sammlung der Entscheidungen des Bundesgerichtshofes in Zivilsachen
BRAO	Bundesrechtsanwaltsordnung
BVerfG	Bundesverfassungsgericht
bzw.	beziehungsweise
ders.	derselbe
d. h.	das heißt
DRiZ	Deutsche Richterzeitung (Zeitschrift)
dt.	deutsch
ed., ed. by	editor, edited by
EGBGB	Einführungsgesetz zum Bürgerlichen Gesetzbuch
EMRK	Europäische Menschenrechtskonvention
etc.	et cetera
EU	Europäische Union
EuGH	Europäischer Gerichtshof
EuGR-Charta	Charta der Europäischen Grundrechte
EuR	Europarecht (Zeitschrift)
f.	die nächste folgende Seite bzw. Randnummer
FAZ	Frankfurter Allgemeine Zeitung (Tageszeitung)
ff.	die nächsten folgenden Seiten bzw. Randnummern
Fn.	Fußnote
GG	Grundgesetz
GmbH	Gesellschaft mit beschränkter Haftung
gr.	griechisch

GreifRecht	Greifswalder Halbjahresschrift für Rechtswissenschaft (Zeitschrift)
Hrsg., hrsg.	Herausgeber, herausgegeben
i.e.	id est
insbes.	Insbesondere
i. S.	im Sinne
i. V. m.	in Verbindung mit
IFOR	Peace Implementation Forces
IT	Information Technology
JA	Juristische Arbeitsblätter (Zeitschrift)
JuS	Juristische Schulung (Zeitschrift)
Juris-PK BGB	Juris – Praxiskommentar zum BGB
JZ	Juristenzeitung (Zeitschrift)
Kap.	Kapitel
KWG	Gesetz über das Kreditwesen
lat.	lateinisch
m.N.	mit Nachweisen
m. w. N.	mit weiteren Nachweisen
MOMA	The Museum of Modern Arts in New York
NJW	Neue Juristische Wochenschrift (Zeitschrift)
Nr.	Nummer
NStZ	Neue Zeitschrift für Strafrecht (Zeitschrift)
OLG	Oberlandesgericht
passim	an verschiedenen Stellen, öfter
Rn.	Randnummer
RphZ	Rechtsphilosophie – Zeitschrift für Grundlagen des Rechts (Zeitschrift)
RW	Rechtswissenschaft (Zeitschrift)
S.	Seite(n), Satz
sog.	sogenannt
Sp.	Spalte
StGB	Strafgesetzbuch
StPO	Strafprozessordnung
s.v.	sub voce
u. a.	unter anderem
u. a.m.	und andere mehr
UNDP	United Nations Development Programme
V.	Vers
vgl.	vergleiche
Vol.	volume
vs.	versus
ZAG	Zahlungsdienstaufsichtsgesetz
z. B.	zum Beispiel
ZfSch	Zeitung für Schadensrecht (Zeitschrift)
ZPO	Zivilprozessordnung
ZRG GA	Savignys Zeitschrift für Rechtsgeschichte – Germanistische Abteilung (Zeitschrift)

Einführung

Von der Wahrnehmung über die Methode zum Gelingen

Joachim Lege

Recht ist die wichtigste Infrastruktur der Gesellschaft. Daher ist von größter Bedeutung, wie die Gesellschaft das Recht wahrnimmt – aber auch das Recht die Gesellschaft und sich selbst. Gründliche Reflexion des Rechts sollte daher mit Ästhetik beginnen – denn Ästhetik ist zuallererst die Lehre von der *Wahrnehmung*, griechisch *aísthēsis*. In diesem Sinn reicht sie vom ersten Eindruck, den ein Fall auf uns und die Beteiligten macht, bis zum Gesamturteil darüber, ob die Lösung „gelungen" erscheint – dogmatisch, aber auch politisch, wirtschaftlich, „menschlich" und so fort.

In der Rechtswissenschaft ist dieser ästhetische, ja kognitionswissenschaftliche Ansatz recht neu. Die Beiträge dieses Bandes – er dokumentiert eine Tagung des Deutschen Juristen-Fakultätentags im Juni 2018 – verstehen sich daher durchaus als Pionierarbeit. Sie kommen zudem ganz bewusst nicht nur aus der akademischen Rechtswissenschaft, sondern auch aus „der Praxis" der Richter und Anwälte, der Verfassunggebung gerade in Krisengebieten, sogar der Prüfungsämter. Denn ob im Recht etwas als „gelungen" erscheint, verweist auf viele Perspektiven.

Demgemäß sollte das Thema der Tagung: „Gelingendes Recht – Über die ästhetische Dimension des Rechts" zunächst einmal Neugier wecken. Auf den zweiten Blick sollte allerdings sogleich klar werden, dass mit „Ästhetik" gerade nicht die Lehre vom Schönen oder „Künstlerischen" gemeint war. Vielmehr ist Ästhetik in ihrem Ursprung eben die Lehre von der *Wahrnehmung*.[1] In diesem Sinn stellt sich dann die Frage, wie das Recht und seine „Akteure" die Probleme, die an sie herangetragen werden, wahrnehmen, filtern und bearbeiten. Auf der anderen Seite ist zu klären, mit welchen Erwartungen, gar Hoffnungen die restliche Gesell-

---

[1] In diesem Sinn etwa auch verstanden von *Immanuel Kant*, Kritik der reinen Vernunft, Riga 1781, 2. Aufl. 1787: „Transzendentale Ästhetik".

schaft das Recht wahrnimmt und einzusetzen gedenkt. Daran schließt sich wiederum das Problem an, ob es – auf beiden Seiten – eine „richtige" Wahrnehmung gibt.[2] Oder vom Ergebnis her formuliert: ob und wann man vor diesem Hintergrund wenn schon nicht von der „Richtigkeit", so doch von dem „Gelingen" einer rechtlichen Problemlösung sprechen kann.

Diese Fragen zielen im Grunde auf nichts anderes als das, was derzeit – mit großem Einfluss auf Politik und Wirtschaft – in den Kognitionswissenschaften thematisiert wird: All unsere Wahrnehmung, insbesondere die Wahrnehmung von Problemen, ist notwendig begrenzt. Man spricht von Verzerrungen der Wahrnehmung *(biases)*, wenn zum Beispiel in Vertragsverhandlungen bewusst eine Zahl als „Anker" in die Debatte geworfen wird.[3] In der Politik denkt man nach über „Stupser" *(nudges)*, mit denen die Menschen in eine bestimmte Richtung gelenkt werden sollen – etwa wenn im Hinblick auf Organspenden die Widerspruchslösung statt der Einwilligungslösung gewählt wird.[4] Wie auch immer: Die Wahrnehmung von Problemen bestimmt ganz offenbar ihre Lösung, und es ist gar nicht leicht zu bestimmen, welche Wahrnehmung eigentlich angemessen, ja vernünftig ist.

Natürlich ist dies auch im Recht so, und so hat denn auch das Recht, wie *Helene Bubrowski* es formuliert, „eine ganz eigene Ästhetik" – wobei diese Ästhetik allerdings je nach beruflicher Sparte jeweils andere Aspekte betont. Ein Richter *(Hans-Joachim Strauch)* steht vor anderen Herausforderungen als ein Rechtsanwalt *(Kai-Michael Hingst)* oder gar als eine Beraterin bei der Verfassunggebung in Krisengebieten wie Syrien *(Eva Maria Belser)*. Bei allen dreien wird aber deutlich, wie vielschichtig das ist, was Juristinnen und Juristen in ganz verschiedener Weise wahrnehmen und „managen" müssen, um Lebensverhältnisse rechtlich gelungen zu gestalten. Das krumme Holz, als woraus der Mensch geschnitzt ist *(Kant)*, lässt sich eben auch im Recht schwerlich nach einem einfachen Schema bearbeiten.

Eine weitere, der akademischen Rechtswissenschaft vertrautere Perspektive ist die sozusagen interne Ästhetik der juristischen Dogmatik – Dogmatik verstanden als die Gesamtheit der Lehren von der rechtlichen Richtigkeit juristischer Entscheidungen. Hier zeigen sich bei näherem Hinsehen[5] sehr deutlich

---

[2] Vernichtend jüngst die Kritik am Recht von Seiten des Fachphilosophen *Daniel Loick*, Juridismus, Frankfurt a.M. 2017. Demgegenüber zeigt *Gertrude Lübbe-Wolff*, Das Dilemma des Rechts. Über Härte, Milde und Fortschritt im Recht, Basel 2017, sehr eindrücklich, wie vorsichtig insbesondere historische Urteile sein sollten.

[3] Hauptwerk: *Daniel Kahneman*, Thinking, fast and slow, New York 2011; dt. Schnelles Denken – langsames Denken, München 2011.

[4] *Cass Sunstein / Richard Thaler*, Nudge, New York 2009; dt. Nudge, Berlin 2011.

[5] Noch tiefer schürfend *Daniel Damler*, Rechtsästhetik. Sinnliche Analogien im juristischen

ästhetische Muster, von denen die Überzeugungskraft rechtlicher Lösungen abhängt *(Götz Schulze)*. Und dies ist keineswegs eine Frage nur der gefälligen Darstellung. In der Sache geht es vielmehr oft genug etwa darum, auf welcher Abstraktionshöhe die Dogmatik rechtliche Probleme diskutieren und lösen sollte – handele es sich bei dieser Lösung nun um ein Gesetz, um ein Urteil oder um eine akademische Schrift. Selbstkritisch wird man sagen können, dass in der deutschen Rechtswissenschaft häufig ein zu hohes Abstraktionsniveau gewählt wird, so etwa im Recht der ungerechtfertigten Bereicherung *(Maximilian Wolf)*.[6] Vielleicht auch deshalb fällt es Studenten häufig schwer, in den Juristischen Prüfungen das zu präsentieren, was aus der Sicht der staatlichen Prüfungsämter *(Martin Groß)* das Wichtigste ist: Verständnis für System und Methode.

Insgesamt reicht das Spektrum, das die Vorträge eröffnen, somit von Problemen der Wahrnehmung über Fragen des Verfahrens und der Methode bis hin zu Kriterien der Gelungenheit eines Ergebnisses. Insgesamt zeigen sie zudem, wie vielschichtig die Welt ist, mit der es das Recht zu tun hat, und wie reflektiert die Juristen – jedenfalls viele von ihnen – damit umgehen. Dies der Öffentlichkeit zu zeigen – gerade auch der nicht-juristischen Öffentlichkeit –, ist ein Kernanliegen dieses Buchs.

Denken, Berlin 2016; teilweise krit. dazu *Joachim Lege,* Rechtswissenschaft (RW) 2017, 347 ff.

[6] Siehe zu einem Beispiel aus dem Strafrecht *Christian Fahl*, Zur Notwendigkeit des Wiedererlernens der Akzeptanz von Unglück in der Welt, Juristische Arbeitsblätter (JA) 2012, 808 ff.: Überspannung des Begriffs „Fahrlässigkeit" bei unvorhersehbaren Ereignissen (wie dem Sandsturm auf der A 19 vor Rostock im Jahr 2011).

Eine ganz eigene Ästhetik

Warum sind unsere Gesetze nicht schön, schlank und verständlich?

Helene Bubrowski[*]

Das Handwerkszeug von Juristen ist die Sprache. Was sie damit fertigen, ist selten elegant, zuweilen ziemlich klobig. Juristen haben einen Hang zu Substantivierungen und Passivkonstruktionen, weshalb ihre Texte oft wenig anschaulich sind. Manche Wortungetüme, wie zum Beispiel das Finanzmarktstabilisierungsfortentwicklungsgesetz oder das Rindfleischetikettierungsüberwachungsaufgabenübertragungsgesetz, haben es zu einiger Berühmtheit geschafft. Im Verbraucherschutzrecht gibt es Normen, die länger als eine Seite sind. Typisch für das Steuerrecht sind kafkaeske Verweisungsketten auf andere Paragraphen.

Zuweilen findet sich so etwas wie eine eigene Ästhetik. Besichtigen kann man die etwa in einem Paragraphen aus dem Stellvertretungsrecht im Bürgerlichen Gesetzbuch: „Tritt der Wille, in fremdem Namen zu handeln, nicht erkennbar hervor, so kommt der Mangel des Willens, im eigenen Namen zu handeln, nicht in Betracht." Das klingt komplizierter, als es ist, die Norm meint nur: Wer als Stellvertreter eine Erklärung abgibt, muss deutlich machen, dass er nicht für sich selbst handelt. Tut er das nicht, ist er selbst an seine Erklärung gebunden. Ästhetik hin oder her, problematischer ist, dass Juristendeutsch so schwer verständlich ist. Übrigens nicht nur für Laien: Juristen, die mit einer Norm zu tun haben, die sie vorher nicht kannten, wissen ohne Hilfsmittel oft auch nicht weiter. Dabei gehört zur Idee von Demokratie und Rechtsstaat, dass die Gebote und Verbote für die Bürger klar sind, damit sie sich überhaupt daran halten können.

---

[*] Der Text ist am 27. Dezember 2018 in der Frankfurter Allgemeinen Zeitung auf S. 8 erschienen. Er greift Gedanken auf, die die Autorin am 8. Juni 2018 zur Eröffnung der Tagung „Gelingendes Recht" in Greifswald vorgetragen hat. –

Deutsche Juristen zeigen häufig mit dem Finger nach Brüssel und behaupten, erst die Richtlinien der EU hätten das deutsche Recht verschandelt. Neuere Gesetze sind zwar in der Tat oft ausführlicher als ältere, doch das liegt keineswegs nur an den europäischen Vorgaben. Der moderne Gesetzgeber tendiert dazu, für alle Eventualitäten ausdifferenzierte Regeln parat zu halten. Umständliche Formulierungen sind aber nicht neu. Im Entwurf des Raumordnungsgesetzes von 1966 etwa stand: „Das Bundesgebiet ist in seiner allgemeinen räumlichen Struktur einer Entwicklung zuzuführen, die der freien Entfaltung der Persönlichkeit in der Gemeinschaft am besten dient." Da herrschte vor gut fünfzig Jahren sogar im Bundestag allgemeine Heiterkeit. Mehr als eine Arbeitsstelle der Gesellschaft für Deutsche Sprache folgte zunächst freilich nicht daraus.

Doch die Bürger fragen: Wenn es Software-Herstellern gelingt, Programme zu entwickeln, die schon Kleinkinder bedienen können, warum sind die Steuerformulare dann immer noch so kompliziert? Die Bundesregierung will nicht weiter dabei zuschauen, wie sich Menschen frustriert abwenden. Sie hat sich des Themas angenommen. In den Ministerien, wo die meisten Gesetze geschrieben werden, gibt es schon den einen oder anderen Vorstoß. Im Bundesjustizministerium hat der „Redaktionsstab Rechtssprache" 2009 seine Arbeit aufgenommen, der alle Gesetze auf Verständlichkeit prüft.

Der Koordinator der Bundesregierung für Bürokratieabbau und bessere Rechtsetzung ist Hendrik Hoppenstedt (CDU), Staatsminister im Bundeskanzleramt. Er hat sich einiges vorgenommen: „Unser Maßstab ist es, dass die Menschen mit unserem Recht und unserer Verwaltung zufrieden sind", sagte Hoppenstedt kürzlich. „Die Spielregeln unseres Gemeinwesens müssen für das tägliche Leben gemacht sein, die dürfen nicht zu kompliziert sein, und jeder muss sie verstehen können." Mitte Dezember hat das Bundeskabinett das Arbeitsprogramm Bessere Rechtsetzung und Bürokratieabbau beschlossen. 50 Maßnahmen sollen das Leben der Bürger einfacher machen. Nur so viel Bürokratie wie nötig, zum Beispiel bei Anträgen auf Kinderzuschläge oder Wohngeld. Bei neuen Gesetzen solle künftig noch mehr darauf geachtet werden, dass sie alltagstauglich sind, so Hoppenstedt, selbst Jurist. Demnach ist das ideale Gesetz eins, das seinen Zweck erfüllt und zugleich schlank und unkompliziert ist.

Es stimmt zwar nicht, dass Juristensprache zwangsläufig gestelzt ist. Viele Hässlichkeiten haben schlicht keinen tieferen Sinn, sondern sind der Gewohnheit geschuldet, manchmal auch mangelndem Sprachgefühl. Für manche Juristen stehen Texte, die schön zu lesen sind, gar im Verdacht, nicht präzise zu sein. Allerdings muss man zugestehen, dass Juristen bei der Wortwahl gewissen Zwängen unterliegen. Eigentum ist eben nicht das gleiche wie Besitz, Mord nicht das gleiche wie Totschlag und eine Entreicherung kein Schaden. Daher kann man auch nicht mal den einen, mal den anderen Begriff benutzen, um den Satz geschmeidiger zu machen.

Auch manch umständliche doppelte Verneinung hat ihren Sinn. Beispiel aus dem Schadensersatzrecht im Bürgerlichen Gesetzbuch: Der Schuldner müsse zahlen, wenn er eine Pflicht aus dem Schuldverhältnis verletzt, heißt es im ersten Satz. Darauf folgt: „Dies gilt nicht, wenn der Schuldner die Pflichtverletzung nicht zu vertreten hat." Auch da stockt man und denkt, es wäre doch einfacher zu formulieren, dass der Schuldner zahlen müsse, wenn er eine Pflicht aus dem Schuldverhältnis verletzt hat und dies zu vertreten hat. Doch in ihrer rechtlichen Bedeutung unterscheiden sich beide Sätze: Im ersten Fall nämlich kann sich der Schuldner von seiner Verpflichtung nur befreien, wenn er selbst beweisen kann, dass er für die Pflichtverletzung nichts kann. Im zweiten Fall trüge der Gläubiger die Beweislast.

Mindestens ebenso belastend für die Schönheit von Gesetzen sind die politischen Querelen im Entstehungsprozess. Zuweilen ist eine unklare Formulierung kein sprachliches Missgeschick, sondern ein Kompromiss, wenn sich die Koalitionspartner weder auf die eine noch auf die andere klare Sprache einigen konnten. Manche Kompromisse lassen sich unterschiedlich auslegen – welche Lesart sich durchsetzt, entscheiden dann die Gerichte.

Es gibt auch Kompromisse, deren Inhalt klar ist, die aber umständlich formuliert sind – zum Beispiel, weil man dadurch eine Seite vor einem Gesichtsverlust bewahrt. Aktuell lässt sich das am Kompromiss über das sogenannte Werbeverbot für Schwangerschaftsabbrüche beobachten: Die Union bestand darauf, dass der Straftatbestand bleibt wie er ist, die SPD wollte ihn abschaffen. Eine Änderung der Norm war für die Union nicht darstellbar. Nach langem Ringen konnten sich die Koalitionspartner auf eine Ergänzung einigen. Künftig soll das „Anbieten" eines Schwangerschaftsabbruchs gegen Bezahlung zwar weiter strafbar sein, nicht aber dann, wenn Ärzte das tun. Da legalerweise nur Ärzte Schwangerschaftsabbrüche vornehmen dürfen, ist die Konstruktion einer Ausnahmeregelung ohne jeden Zweifel unnötig kompliziert. Über solche Streitfälle, die im Fokus der Öffentlichkeit stehe, darf man freilich nicht vergessen: In einer Legislaturperiode werden Hunderte Gesetze beschlossen, die ganz große Mehrheit davon ohne koalitionären Krach.

Die Ästhetik richterlicher Erkenntnis

Hans-Joachim Strauch

Der Wille, die Vernunft auf das anzuwenden,
was als irrational gilt,
stellt einen Fortschritt der Vernunft dar.
Merleau-Ponty[1]

Zunächst stutzt man: Die Ästhetik hat ihre selbstverständlichen Bezüge: zur Kunst, zur Mode, zum Stil. Natürlich auch zu dem, was wir Harmonie nennen – und schon stellen sich Assoziationen ein, die die gewohnten Begriffszuordnungen ins Gleiten kommen lassen: Harmonielehre und ihre Ursprünge bei Pythagoras – Wohlklang und mathematische Relationen – Sphärenharmonie und „Kosmos". Es ist erst ein späterer Gebrauch des Wortes, mit Platon im „Kosmos" die nach mathematisch-harmonischen Prinzipien hergestellte einheitliche Ordnung des Weltganzen zu sehen.[2] Im engeren Sinn bezeichnete „Kosmos" Schmuck, Zierat – die Kosmetik liegt also ganz nahe. Bevor das Wort in philosophisch-spekulativer Bedeutung in Umlauf kam, bezeichnete es einen gesellschaftlichen Normbegriff. Das Wortfeld war das der Ordnung, der Herrschaft, des Rechts. Zum Ausdruck gebracht wurde, „dass eine Sache oder Handlung offensichtlich und allgemein anerkannt, ‚in Ordnung', ‚korrekt' oder ‚anständig' ist – eben so, wie es sich gehört".[3] Die Kontexte und Konnotationen haben sich gewiss seit homerischer Zeit geändert, aber es ist immer noch dieses Wortfeld, in dem Juristen argumentieren, wenn sie die Differenzen zwischen Recht und Unrecht bestimmen und benennen müssen.

Wer heute analysierend über Rechtsprechung spricht, wird dafür allerdings kaum auf Ursprung und Gestaltqualität des Wortes „Kosmos" zurückgreifen.

---

[1] *Maurice Merleau-Ponty*, Das Primat der Wahrnehmung, hrsg. von Lambert Wiesing, 5. Aufl. Frankfurt a. M. 2016, 57.

[2] Vgl. *Matthias Gatzemeier*, Artikel „Kosmos", in: Joachim Ritter (Hrsg.), Historisches Wörterbuch der Philosophie Bd. 4, Darmstadt 1976, Sp. 1170.

[3] *Gatzemeier* (Fn. 2), Sp. 1167.

Recht und Gerichtsorganisation sind Teile dessen, was wir seit Max Weber als „bürokratisches Herrschaftssystem“ beschreiben. Für ästhetische Kategorien scheint da kein Platz. Doch diese theoretische Verengung trügt. Die Vorstellungen, die sich mit Webers idealtypischer Charakterisierung verbinden, verstellen allzu leicht den Blick für das, was Recht, Rechtsprechung und richterliche Erkenntnis auch ausmacht.

Verstellt wird vor allem ein ganz elementares Phänomen: Macht, Herrschaft, Religion und Recht können auf Bilder und Darstellung nicht verzichten; sie müssen wahrnehmbar sein, um für „wahr“ genommen zu werden. Sie müssen sich deshalb immer auch über Ritualisierung und Inszenierung realisieren – mögen diese auch noch so puritanisch oder reduziert ausfallen.

In einem ersten Abschnitt will ich die Aufmerksamkeit auf diesen Aspekt richten: den Gerichtssaal als Spielstätte einer Inszenierung. Es ist die Zuschauerperspektive, und der Zusammenhang mit der Ästhetik stellt sich hier gleichsam von selbst her. Wird dagegen die richterliche Erkenntnis zum Gegenstand des Fragens – der Frage, wie erkennt die Richterin, der Richter das, was der Fall ist, wie das, was rechtens ist – ist der Zusammenhang mit der Ästhetik keineswegs mehr augenscheinlich. Er stellt sich nicht mehr als selbstverständlich her, sondern muss begründet werden. Wir müssen – bildlich gesprochen – vom Gerichtssaal in das Beratungszimmer wechseln. Es muss theoretisch werden. Zu erörtern sind der epistemische Charakter der Wahrnehmung (II) und die Rolle, die der Mustererkennung bei der Wahrnehmung zukommt (III). Zum Schluss bleibt die Gretchenfrage jeder Erkenntnis – woher weiß ich denn, ob sie richtig oder falsch ist? (IV und V).

I. Zur „theatralischen Sendung“

Der Prozess ist ein ritualisierter Kampf. Ein Theater mit einem in der Regel offenen Stück.[4] Fest stehen nur die Rollen: die Betroffenen sind Laien, die Professionals in Roben. Alle können mal aus der Rolle fallen, nur der Richter darf es nicht. Dann misslingt das Stück. Denn die Aufführung ist darauf angelegt, Akzeptanz zu schaffen, auch und gerade den Unterlegenen davon zu überzeugen, dass das Gericht sich seiner Sache ernsthaft, unvoreingenommen und nach bestem Wissen und Gewissen angenommen hat. Und da das Misslingen leichter zu beschreiben ist als das Gelingen, drei Beispiele für Rolleninkonsistenz: Der Richter, der Probleme mit der Autorität hat, die er darstellen muss – nicht als die eigene,

---

[4] Zur szenisch-theatralen Dimension der Rechtsprechung grundlegend *Cornelia Vismann,* Medien der Rechtsprechung, Frankfurt a. M. 2011.

sondern als die des Rechts. Mit den Worten Montesquieus: Er ist *la bouche de la loi*, der Mund des Gesetzes, und verkennt seine Rolle, wenn er den Lässigen, den Gelangweilten, den Zyniker oder den Antiautoritären gibt. Er verkennt diese auch, wenn er glaubt, mehrere Rollen gleichzeitig spielen zu können – etwa als Jugendrichter gleichzeitig den Kumpel, Richter und Therapeuten.[5] Noch eine Variante des Aussendens widersprüchlicher Botschaften: ein Verwaltungsrichter, der in ganz liebenswürdiger Weise seine Bürgerfreundlichkeit zelebriert – oft aber mit der fatalen Folge, dass die Partei mit allem gerechnet hatte, aber nicht mit einem Unterliegen, einer Klageabweisung. Demgegenüber ein Kontrastbeispiel: Ein Zeuge bestätigt die Täterschaft der beiden angeklagten Jugendlichen; aus dem Zeugenstand entlassen, blickt er nochmals zurück, und dem Jugendrichter fällt sein zweifelnder Gesichtsausdruck auf. Ergebnis: die wirklichen Täter waren zwei Freunde der Angeklagten, die bereits auf Bewährung einschlägig verurteilt waren …

Damit von der Körpersprache zur sprachlichen Kommunikation, vom Rollenspiel zum Sprachspiel: Der Gerichtssaal ist ein Kommunikationsraum eigener Art. Er ist strukturell asymmetrisch. Sprache ermöglicht nicht nur Kommunikation. Sie schließt auch aus, wenn man den Sinn dessen, was da kommuniziert wird, nicht voll verstehen kann. Für dieses nur allzu bekannte Problem: Umgangssprache – Juristendeutsch muss der Richter eine situativ jeweils angemessene Sprache, man wird auch sagen können: Übersetzung finden. Das zentrale Moment einer gelungenen Kommunikation lässt sich jedoch auch abstrakt festmachen. Es liegt im rechtlichen Gehör – im Gehörtwerden. Es muss dem Richter gelingen, dem „Menschen vor Gericht" zu vermitteln, dass er seine Rede nicht nur gehört, sondern auch „wahrgenommen" hat, dass er sich seiner Sache angenommen und sie auch verstanden hat. Nur so können „Menschen vor Gericht"[6] auch eine Niederlage akzeptieren.

II. Theorie: Ästhetik, Aisthesis, Wahrnehmung

„Kunst und Theater" – als Paarformel ist dies dem Juristen fast so vertraut wie die Formel „Gesetz und Recht". Das, was sich im Gerichtssaal als Gerichtsverfahren darstellt, ist für Zuschauer und die Beteiligten ein geradezu selbstverständlicher Gegenstand ästhetischer Betrachtungen und Beurteilungen. Nichts

[5] Wie eine Fallstudie zur Problematik richterlicher Grenzüberschreitungen in bester Absicht liest sich der Roman von *Ian McEwan,* Kindeswohl, Zürich 2015.

[6] So der Titel einer immer wieder aufgelegten Fortbildungstagung der Deutschen Richterakademie.

anderes gilt für die Textgestalt des Urteils. Auch hier wird das Dargestellte mit ästhetischen, nicht nur juristischen Maßstäben bewertet: nach Klarheit, Verständlichkeit, Stil. Konkreter ableiten lassen sich solche Kriterien etwa aus dem prägenden ästhetischen Glaubenssatz der Moderne: „Form folgt Funktion". Was gebietet dann welche Funktion? – soll das Urteil für die Parteien oder die Rechtsmittelinstanz geschrieben werden? Oder muss die stilistische Kunst nicht vielmehr darin bestehen, allen Adressaten überzeugende Gründe zu geben? Ich will an diese Aspekte aber nur erinnern. Nicht weil sie unwichtig wären, sondern weil im Zentrum meiner Überlegungen nicht die ästhetischen Dimensionen der Darstellung von Recht und gerichtlichem Prozess stehen sollen. Zentral soll es um den Prozess richterlichen Erkennens gehen und die Rolle, die ästhetische Perspektiven und Kategorien in diesem Prozess spielen.

Wir müssen also von der Anschauung zur theoretischen Betrachtung übergehen. Es bedarf dieses Wechsels, weil wir die Phänomene des richterlichen Erkennens ohne komplexere theoretische Überlegungen nicht erfassen können, uns für diese aber keine in der Zunft allgemein anerkannten theoretischen Erklärungsmuster zur Verfügung stehen. Theorien verstehe ich hier nicht als Blaupausen der Wirklichkeit oder des Rechts, sondern als strukturierende und reflektierende Anschauungsformen. Sie sind Orientierungs-Tools. Damit ist nicht nur auf die unhintergehbare Perspektivität jeder Theorie verwiesen, sondern auch auf die Frage, warum und für was wir denn eine Orientierung brauchen. Konkret gefragt: Welche Probleme des richterlichen Umgangs mit dem Recht und der Sachverhaltsermittlung sollen und können gelöst werden, wenn wir sie aus der Perspektive der Ästhetik betrachten?

1. Die Ausgangssituation

Abstrakt ist die Antwort einfach zu geben: die Ästhetik soll aus einem uraltem Dilemma heraushelfen. Zum einen: Der Richterspruch darf nicht willkürlich, soll nicht subjektiv, sondern rational und nachvollziehbar sein. Doch und zum anderen: Der Richter kann weder aus dem Gesetz jeweils eindeutig und unbezweifelbar ableiten, was in dem von ihm zu entscheidenden Fall rechtens ist[7] – noch kann er sich sicher sein, dass er den Sachverhalt so erfasst hat, wie es wirklich gewesen ist.[8] Natürlich kann sich ein Urteil immer auch auf abgesicherte Deduktionszusammenhänge stützen. Getragen wird eine Entscheidung jedoch meist von Annahmen und Schlussfolgerungen, die sich nicht als das Ergebnis eines logischen Ableitungszusammenhanges ausweisen lassen. Es ist der Bereich des

---

[7] *Hans-Joachim Strauch,* Methodenlehre des gerichtlichen Erkenntnisverfahrens – Prozesse richterlicher Kognition, Freiburg 2017, 289 ff.

[8] Ausführlich *Strauch* (Fn. 7), 157 ff. (Teil C).

nicht-recht-Fassbaren, für den die Juristen dann immer wieder gern – als wär's ein Zauberwort – die „Kunst" in die Diskussion einblenden.

Schon bei Savigny, dem in der juristischen Methodenlehre Vielzitierten, lesen wir: Die Auslegung sei „eine Kunst", die sich „eben so wenig, als irgend eine andere, durch Regeln mitteilen oder erwerben" lasse.[9] Gadamer spricht von der Hermeneutik als der „Kunst des Verstehens."[10] Bartholomeyczik nennt seine Methodenlehre „Die Kunst der Gesetzesauslegung"[11], und auch die Zeugenvernehmung ist für einen Standardkommentar zur ZPO „eine nur begrenzt erlernbare Kunst."[12] – Nimmt man diese Zitate beim Wort, wären wesentliche Momente richterlichen Erkennens nur noch als Kunstschaffen[13] begreifbar. Doch das Urteil ist kein Kunstwerk und der Richter kein freischaffender Künstler, sollte es jedenfalls nicht sein.

Die Frage nach der „Ästhetik richterlicher Erkenntnis" ist denn auch primär keine Frage nach der Ästhetik als der Lehre vom Schönen und der „Kunst". Das Erkenntnisinteresse verbindet sich vielmehr mit dem Begriff der Ästhetik in seiner Ausgangsbedeutung: Ästhetik, abgeleitet aus αἴσθησις, meinte ursprünglich nichts anderes als „Wahrnehmung", „Empfindung". Man verstand darunter nicht die Lehre vom Schönen, sondern seit Aristoteles die Lehre von der Wahrnehmung. – Der Blickpunkt ist dann ein erkenntnistheoretischer. Die Ästhetik wird zur „Wissenschaft von der sinnlichen Erkenntnis". Die entscheidende Frage lautet dann: Was eigentlich ist „Wahrnehmung"? Die Antworten hierauf sucht man über philosophisch-geisteswissenschaftliche,[14] über soziologische[15] und/oder

---

[9] *Friedrich Carl von Savigny,* System des heutigen Römischen Rechts Bd. 1, Berlin 1840, 211.

[10] *Hans-Georg Gadamer,* Wahrheit und Methode. Grundzüge einer philosophischen Hermeneutik, Gesammelte Werke Bd. 1, 6. Aufl. Tübingen 1990, 169.

[11] *Horst Bartholomeyczik,* Die Kunst der Gesetzesauslegung, Frankfurt a. M. 1951.

[12] *Adolf Baumbach / Wolfgang Lauterbach / Jan Albers / Peter Hartmann,* Zivilprozessordnung, 76. Aufl. München 2018, Übers § 373 Rn. 5.

[13] Einer eigenen Untersuchung wert wäre die Frage, von welchem Verständnis des Begriffes „Kunst" genau in den zitierten Beispielen jeweils auszugehen wäre: Kunst i. S. von „téchnē" (griechisch für das durch Handwerksregeln geleitete Herstellen und Produzieren) oder „Kunst" in dem Verständnis, wie es sich spätestens in der Romantik herausgebildet hatte.

[14] Zu nennen sind zunächst der neuzeitliche Sensualismus *(John Locke, David Hume)* und *Immanuel Kants* transzendental-philosophischer Ansatz (Wahrnehmung als „empirisches Bewusstsein", siehe Kritik der reinen Vernunft (KrV), 2. Aufl. (B) Riga 1787, 207; „Synthesis der Apprehension" als „die Zusammensetzung des Mannigfaltigen in einer empirischen Anschauung", siehe KrV B 160); dann vor allem die Rolle, die der Phänomenologie für die Erforschung des Zusammenhangs von Bewusstsein und Wirklichkeit zukommt. Wichtige Referenz hier: *Merleau-Ponty* (Fn. 1), 85 ff., mit weiteren Nachweisen und einem Nachwort von *Wiesing. Merleau-Pontys* Hauptwerk ist „Die Phänomenologie der Wahrnehmung", Berlin 1966/1974. Zentral sind hier die Annahmen, dass es zwar eine objektive Erkenntnis ohne jegliche Vorurtei-

über kognitionswissenschaftliche[16] Theorieansätze. Das besondere Thema „Recht und Ästhetik" ist demgegenüber weitgehend nur eine Betrachtung aus einer besonderen Perspektive.[17]

2. *Eigener Ansatz*

Der Ansatz, den ich verfolgen werde, ist *zunächst* ein kognitionswissenschaftlicher:[18] Denn wir müssen zunächst wissen, von welchen basalen kognitiven Prozessen wir auszugehen haben, wenn wir über Wahrnehmung reden. – Zur Orientierung gleichwohl zuvor eine kurze geistesgeschichtliche Vorbemerkung: Ent-

---

le nicht gibt, wohl aber eine ursprüngliche Intentionalität, die als leiblich-sensuelle Interaktion mit der Welt auftritt (475, 166).

[15] Wesentlich sind hier die Zusammenhänge von Wahrnehmung und Intersubjektivität, ferner die Rolle, die soziale Einbindungen für Fokussierungen und Vorverständnisse spielen. Vgl. dazu unten die Ausführungen zur intersubjektiven Vermittlung von Wahrnehmungen und die Nachweise in den Fn. 45, 46.

[16] Scharfe Grenzlinien lassen sich nicht ziehen. So nehmen phänomenologische Ansätze entscheidende Gedanken aus der Gestalttheorie und der Gestaltpsychologie auf (*Merleau-Ponty* [Fn. 1], 7, 17 ff., 108 ff.). Von *Husserl* und *Merleau-Pontys* Betonung der Leiblichkeit führt nicht nur ein direkter Weg zu *Alfred Schütz* und der Soziologie der Lebenswelt. Mit der These: das „Subjekt, das einen bestimmten Standpunkt einnimmt, ist mein Leib als Feld der Wahrnehmung und des Handelns" ([Fn. 1]), 33), hat *Merleau-Ponty* zugleich eine wirkmächtige Gegenthese zum radikalen Konstruktivismus formuliert und ist damit zu einer wichtigen Referenz für eine Kognitionswissenschaft geworden, die sich nicht auf eine neurokonstruktivistische Perspektive, nicht auf die Perspektive „neuronales Netzwerk" beschränkt. Siehe hierzu *Thomas Fuchs,* Das Gehirn – ein Beziehungsorgan, 3. Aufl. Stuttgart 2010, und umfassender: *Magnus Schlette / Thomas Fuchs / Anna Maria Kirchner,* (Hrsg.), Anthropologie der Wahrnehmung, Heidelberg 2017.

[17] Einen ersten Überblick über die Diskussion geben die Beiträge in der Zeitschrift „Rechtsphilosophie" (RphZ), Heft 1, 2015; genannt seien: *Joachim Lege,* Ästhetik als das A und O „juristischen Denkens", 28–36; *Eva Schürmann*, Das Recht als Gegenstand der Ästhetik?, 1–12; *Jörn Reinhardt*, Das Recht idealistischen Denkens. Über Windmühlen, 70–83. Weiter sind zu nennen: *Daniel Damler*, Rechtsästhetik. Sinnliche Analogien im juristischen Denken, Berlin 2016, und zur „Vorgeschichte" der aktuellen Diskussion: *Heinrich Triepel*, Vom Stil des Rechts. Beiträge zu einer Ästhetik des Rechts (1947), Reproduktion der Originalausgabe mit einer Einleitung von *Andreas von Arnauld* und *Wolfgang Durner* (S. I–XLII), Berlin 2007. – *Joachim Lege* hat seine grundlegenden Gedanken zur Rolle der Ästhetik in der juristischen Erkenntnis dargelegt in: Pragmatismus und Jurisprudenz, Tübingen 1999, 561 ff.; ihre theoretischen Grundlagen finden sie in der Philosophie von *Charles Sanders Peirce*. Für *Eva Schürmann* steht dagegen das Ästhetische als Sphäre „performativer Transformation" im Vordergrund: „Die Form ist dem Inhalt so wenig äußerlich wie die Formierung dem Material" (4). Gegenstand einer „kritisch orientierten Rechtsästhetik" sind deshalb etwa habituelle Auffassungsmuster, denkstil-bedingte Wahrnehmungs- und Auffassungsweisen, Rechtfertigungsnarrative. Referenzautoren sind hier: *Ludwik Fleck, Thomas S. Kuhn* und *Pierre Bourdieu*.

[18] Näher *Strauch* (Fn. 7), 28–30, 79–90; zur „richterlichen Kognition" 102–112; ferner die Exkurse I (213 ff.), II (257 ff.), III (575 ff.), IV (591 ff.).

wickelt wurde das Konzept der Ästhetik als „Wissenschaft von der sinnlichen Erkenntnis" in der Mitte des 18. Jahrhunderts von Alexander Gottlieb Baumgarten. Konstituiert wurde sie als notwendige Ergänzung zur Logik als „Wissenschaft von der Lenkung des Erkenntnisvermögens zur Erkenntnis der Wahrheit".[19] Details und die philosophisch-wissenschaftsgeschichtlichen Hintergründe interessieren hier nicht weiter. Wichtig ist der systematische Zusammenhang, in den hier Wahrheit und Wahrnehmen, Empfinden und Logik gestellt werden. Für eine „Ästhetik richterlicher Erkenntnis" gibt dieses Konzept bereits entscheidende Grundpositionen vor:

1. Erkennen ist nicht gleich logische Deduktion.
2. Der Gegensatz von Deduktion ist nicht die Dezision.
3. Auch wenn ich etwas „wahrnehme", geht es um Erkenntnis und deren „Wahrheit" – nämlich um die Bedingungen, unter denen ich dieses etwas für „wahr" nehmen kann.

Nur ein *weiter Begriff des „Erkennens"*, der grundsätzlich alle kognitiven Prozesse erfasst, die zur Entscheidung oder, wie es in Österreich heißt, zu einem „Erkenntnis" führen – und der „Erkenntnis" nicht nur auf deduktive, logisch zwingende Schlüsse beschränkt – ermöglicht es auch, im Zusammenhang von Wahrnehmung wie selbstverständlich von „Erkenntnis" zu sprechen. Diese Position ermöglicht zugleich einen unmittelbarer Anschluss unserer Überlegungen zur „Ästhetik richterlicher Erkenntnis" an die aktuelle wissenschaftliche Diskussion, konkret an die Kognitionswissenschaften – verstanden hier als interdisziplinäre Wissenschaft zur Erforschung bewusster und potentiell bewusster Vorgänge und nicht etwa begrenzt auf eine neurokonstruktivistische Perspektive.[20] Zur Verdeutlichung dieses Ausgangspunktes ein Zitat aus einem Lehrbuch der Kognitiven Psychologie: „Vor hundert Jahren hätte ein psychologischer Text, der sich auf ‚kognitive Prozesse' bezieht, ausschließlich das ‚logische Denken' behandelt. Die Tatsache, daß im vorliegenden Buch nur ein Kapitel vom logischen Denken handelt, spiegelt die derzeitige Auffassung wider, derzufolge sich ein Großteil des menschlichen Denkens nicht sinnvoll unter dem Gesichtspunkt des logischen Schlussfolgerns betrachten läßt."[21] – Um Missverständnisse zu ver-

---

[19] So der Grundgedanke von Baumgarten; zum Überblick siehe *Joachim Ritter,* Artikel „Ästhetik", in: ders. (Hrsg.), Historisches Wörterbuch der Philosophie Bd. 1, Darmstadt 1971, Sp. 556–563. Vgl. auch *Silke Jakobs,* Ästhetische Erfahrung in den Naturwissenschaften. Grenzphänomene zwischen den „Zwei Kulturen"?, in: Dorothea Lauterbach / Uwe Spörl / Uli Wunderlich (Hrsg.), Grenzsituationen: Wahrnehmung, Bedeutung und Gestaltung in der neueren Literatur, Göttingen 2002, 63–82, 68 ff.

[20] *Strauch* (Fn. 7), 106,197.

[21] *John R. Anderson,* Kognitive Psychologie, 3. Aufl. Heidelberg 2001, 315.

meiden: Natürlich hatte der Autor, wie üblicherweise auch der Jurist, hier nur die klassische Logik im Blick.

Doch nun konkret zu den basalen Mechanismen und bestimmenden Strukturen des Wahrnehmens – auch wenn wir diese heute vielfach erst in Ansätzen verstehen können. Einführend zunächst ein Bild: Jemand sitzt in seinem Haus vor dem Bildschirm, hat die Überwachungskamera eingeschaltet und kann nun beobachten, was vor seinem Haus vorgeht. Gewählt habe ich dieses Bild, um im Kontrast deutlich zu machen, wie Wahrnehmung gerade nicht funktioniert. Auf unserem inneren Bildschirm erscheinen die Bilder keineswegs so, wie sie auf die Netzhaut treffen. Wahrnehmung ist immer selektiv: ein Förster, ein Liebespaar, ein Pilzsammler, ein Holzhändler und ein Beduine, die durch denselben Wald gehen, nehmen nicht dasselbe wahr. Unser inneres Auge sieht nicht das, was auf der Netzhaut abgebildet wurde. Was gesehen wird, ist das Ergebnis eines hochkomplexen Datenverarbeitungsprozesses – gesteuert ebenso durch rationale wie durch hochemotionale Fokussierungen, durch Hintergrundprogramme ebenso wie durch spontane Reiz-Reaktionen.[22] Datenraten machen das deutlich: Kann man die Informationsmenge, die auf die Netzhaut gelangt, mit 10 Milliarden Bits pro Sekunde veranschlagen, reicht die Weiterleitungskapazität des Sehnervs nur für 6 Millionen Bits pro Sekunde, und von dieser Informationsmenge gelangen nicht einmal 100 Bits zu den Gehirnregionen, die sich mit bewusster Wahrnehmung befassen.[23] Was ich wahrnehme, ist deshalb aber kein rein individuell-subjektives Konstrukt, kein nur eingebildeter Zugang zur Realität.[24] Allerdings bleibt dieser Zugang immer perspektivisch und abhängig von dem, was wir schon erfahren haben und wissen. Erklärbar wird dies durch die zentrale Rolle, die das Gedächtnissystem in den Wahrnehmungs- und Erkenntnisprozessen spielt. Der Neurowissenschaftler Gerhard Roth hat sie auf den Nenner gebracht: „Das Gedächtnis ist unser wichtigstes Sinnesorgan."[25] Es sind die Inhalte unseres genetischen, kulturellen und individuellen Gedächtnisses, die es uns ermöglichen, die Informationen, mit denen uns die Sinnesorgane versorgen, einzuordnen, zu dekodieren und zu verstehen.

---

[22] Grundlegend dazu *Gerald M. Edelman,* Das Licht des Geistes. Wie Bewusstsein entsteht, Reinbek 2007, 47 ff., 54 ff., 111. – *Gerhard Roth*, Das Gehirn und seine Wirklichkeit, Frankfurt a. M. 1997, 255, gibt am Beispiel eines Stuhls eine detaillierte Aufgliederung solcher Aspekte und ihrer Zuordnung zu unterschiedlichen kortikalen Arealen. Näher *Strauch* (Fn. 7), 213 ff., und zur selektiven Wahrnehmung 224–227.

[23] *Strauch* (Fn. 7), 575 ff. mit Verweis auf *Marcus E. Raichle*, Im Kopf herrscht niemals Ruhe, in: Spektrum der Wissenschaft 2010/6, 60–66, 63.

[24] Nachweise unten Fn. 45, 46.

[25] *Roth* (Fn. 22), 261.

Doch auch hier verstellt schnell ein falsches Bild den Blick auf die Mechanismen. Das Gedächtnis ist keine Festplatte, die sicher immer wieder genau das wiedergibt, was sie einmal gespeichert hatte.[26] Schon bei der Einspeicherung spielt eine Dynamik eine entscheidende Rolle, die sich auf die Formel bringen lässt: „Erinnerungen müssen stimmen" – nicht etwa „objektiv", sondern sie müssen *für mich* stimmig sein. Es geht um eine *„temporal kohärente Struktur"*[27], und sie wird hergestellt, indem wir Informationen und Erleben so ordnen, dass sie sich in unser Welt- und Selbstbild ohne Dissonanzen[28] einfügen. Und auch beim Abruf haben wir es mit einem dynamischen Prozess zu tun. Bei jedem Abruf wird die Information in einer veränderten (Lebens-)Situation und somit in einem neuen Zusammenhang erinnert. Im Kontext neuer aktueller Informationen verändert sich so auch das alte „Aktivitätsmuster" (Wolf Singer)[29] – das heißt das Muster, in dem das neuronale Netzwerk aktiv ist, wenn es das erzeugt, was wir Vorstellung, Erkenntnis, Bewusstsein oder eben Erinnerung nennen.

Was und wie wir wahrnehmen, hängt mit anderen Worten entscheidend davon ab, wie das Gehirn neue Informationen mit gegebenem Wissen, Erfahrungen, Mustern oder sonstigen Gedächtnisinhalten – und zwar in Gestalt ihrer augenblicklichen (!) Aktivitätsmuster – vervollständigt, abgleicht und dekodiert – sich eben einen Reim darauf macht. Zusammenreimen kann es sich dies nur, wenn es „passt", und dafür bestimmend ist, wie es sich in das Vorhandene „einfügt". Die Philosophische Hermeneutik thematisiert diesen Zusammenhang unter dem Stichwort „Vorurteil" – so ursprünglich Heidegger und dann Gadamer[30] – oder, wie Esser, als „Vorverständnis"[31]. Nur verengt dieser Ansatz den Verstehenshintergrund auf eine spezifische philosophische Sicht oder, wie Esser, auf spezifisch

---

26 Hierzu *Strauch* (Fn. 7), 215–217.

27 *Strauch* (Fn. 7), 213.

28 Ich beziehe mich hier im Anschluss an *Sina Kühnel / Hans J. Markowitsch,* Falsche Erinnerungen. Die Sünden des Gedächtnisses, Heidelberg 2009, 221 f., auf die kognitive Dissonanztheorie von Festinger, siehe *Leon Festinger*, Theorie der Kognitiven Dissonanz, Bern 1978/2012.

29 *Strauch* (Fn. 7), 216.

30 Zur Relevanz für die juristische Methode *Strauch* (Fn. 7), 564 ff. – Bezogen ist der Begriff allerdings auf ganz unterschiedliche philosophische Konzepte: So liegt bei *Martin Heidegger* der Anfang des hermeneutischen Zirkels in einer ursprünglichen Grundevidenz der Wahrheit, während es *Hans-Georg Gadamer* um ein Textverstehen geht, das sich der Interpretationsgeschichte immer bewusst sein muss. Die These, dass hier Gedächtnisfunktionen angesprochen sind, macht auch Heideggers Rede von der „Seinsvergessenheit" deutlich: Vergessen setzt die Vorstellung von etwas voraus, das früher Gedächtnisinhalt war.

31 *Josef Esser,* Vorverständnis und Methodenwahl in der Rechtsfindung, Frankfurt a. M. 1970. Zum Begriff des Vorverständnisses bei Esser siehe *Monika Frommel*, Die Rezeption der Hermeneutik bei Karl Larenz und Josef Esser, Ebelsbach 1981, 86, 90, 95.

juristische Perspektiven[32] und verstellt damit wesentliche Perspektiven für das Verstehen der Wahrnehmungsprozesse. Schlüssel zu ihrem Verstehen ist eine Kernthese der Gedächtnisforschung: „Wir sind Erinnerung"[33]. Der entscheidende Vorgang ist der Abgleich, die Einordnung und Einpassung neuer Informationen in vorhandene Kontexte. Am Beispiel des Sachverhaltes: Er ist ein Konstrukt. Der Richter muss sich eine *Vorstellung* von dem machen, was er als Sachverhalt seiner rechtlichen Beurteilung zugrunde legt. Und diese Vorstellung kann er nur über die von ihm gespeicherten Muster gewinnen, auf die er für seine „Wahrnehmungen" zurückgreifen kann.[34]

III. Wahrnehmung und Mustererkennung

Betrachten wir unsere Wahrnehmungsprozesse aus dieser Sicht, gewinnen wir den Zugang zu einer zentralen Operation des Wahrnehmens – der Mustererkennung.[35] Für die herkömmliche, akademische Methodenlehre ist diese zwar kein Thema. Für das Verstehen richterlicher Erkenntnisprozesse ist die Musterkennung jedoch nicht weniger relevant, als es Gesetzesauslegung und Subsumtion sind.[36] Worum geht es?

Um es an dem zitierten Beispiel des Richters anschaulich zu machen, dem ein momentaner Ausdruck im Gesicht des Zeugen auffiel: So schwierig, wenn nicht unmöglich es für den Richter gewesen wäre, genau und im Einzelnen die Gesichtsfalten und den Augenausdruck des Zeugen zu beschreiben – er erkannte

[32] Der Begriff „Vorverständnis" konkretisiert die These, dass es eine theoriefreie Wahrnehmung nicht gibt – konkret beschreibt er die professionelle juristische Perspektive, die immer durch jeweils bestimmte theoretische Ansätze und Orientierungs-Tools geprägt ist. Diese Fokussierung ist jedoch nicht abgrenzbar. Auch Wahl und Inhalt der spezifisch juristischen Perspektive sind u.a. immer durch Zeitgeist, seine Ideologien und persönliche Erfahrungen geprägt. Es geht also um nichts anderes als um das im jeweiligen Gedächtnissystem gespeicherte prozedurale und materielle Wissen, mit dem der Jurist „versteht" und arbeitet.

[33] *Daniel L. Schacter,* Wir sind Erinnerung. Gedächtnis und Persönlichkeit, Reinbek 1999.

[34] Das besondere Problem, auf das in diesem Beitrag nicht eingegangen werden kann, liegt dann in folgendem Befund: Wir unterscheiden zwar wie selbstverständlich zwischen Wahrnehmung und Vorstellung. Wenn wir etwas wahrnehmen oder uns etwas vorstellen, beruht dies aber weitgehend auf denselben Hirnfunktionen, vgl. *Strauch* (Fn. 7), 216. Für den Zeugenbeweis ergibt sich hieraus das Problem der „falschen Erinnerung"; allgemein zu den Problemfeldern der „Verifizierung" bei der Sachverhaltsermittlung *Strauch* (Fn. 7), 210ff.

[35] „Meiner Ansicht nach gibt es zwei Hauptformen des Denkens: Logik und Selektionismus (oder Mustererkennung)", so *Edelman* (Fn. 22), 145; dort 144 auch zur neurowissenschaftlichen Basis dieser Unterscheidung.

[36] *Strauch* (Fn. 7), 530f.; zur Terminologie 550ff.; zur Typologie 553ff.; zu Mustererkennung und Subsumtion 529, 535ff.

sofort und sicher im Muster der Gesichtsfalten und der Augenstellung den Zweifel. Das ist ein alltägliches Beispiel. In unserem Zusammenhang sind die spezielle Funktion der Mustererkennung für das *richterliche Fallverstehen*[37] zu thematisieren und ihre entscheidende Bedeutung für das Verstehen richterlicher Wahrnehmungsprozesse. Was anders macht den guten Juristen aus als die Fähigkeit, im konkreten Fall die entscheidenden Konfliktmuster zu sehen und in deren Strukturen die passenden rechtlichen Einordnungs- und Lösungsmuster zu erkennen? Schon das Klausurenschreiben dient wesentlich dazu, diese Fähigkeit zu üben und nachzuweisen.[38] Für den Richter wird es dann freilich in der Praxis oft viel schwieriger, in dem, was die Parteien vortragen, das Muster für das richtige Verstehen des Sachverhaltes zu erkennen. Muster sind so für Juristen Mittel, das juristisch Wesentliche in den Blick zu bekommen – ohne sie wäre die richterliche Wahrnehmung blind. Allein durch Subsumtion lassen sich diese Muster in aller Regel nicht gewinnen. Der Richter kann sie nur assoziieren, wenn er sie wenigstens „irgendwie" kennt, d. h. er muss sie gelernt haben, entweder durch Lesen oder durch Erfahrung.[39] Zugleich sind sie Teil des juristischen Sprachspiels und somit der Verständigung. Sie sind Produkte, Formen und Mittel sozialer Kognition.[40] Eine eingehende Erörterung würde hier den Rahmen sprengen.[41] Versteht man Ästhetik als Wahrnehmung, wird der ästhetische Aspekt richterlichen Erkennens aber in keinem anderen Zusammenhang deutlicher als bei den kognitiven Prozessen der Mustererkennung.

IV. Zur „Wahrheitsfindung"

Dass unsere hochkomplexen Wahrnehmungsvorgänge mit Algorithmen beschreibbar und damit als Ableitungsprozesse berechenbar werden, ist nicht zu erwarten. Entsprechend werden wir sie auch nicht mit eindeutigen, subsumierbaren Begriffen erfassen können. Die *Sprache*, mit der wir sie zu fassen suchen, arbeitet deshalb nicht von Ungefähr mit denselben Wortfeldern, mit denen wir auch unsere Wahrnehmung und ihre Ergebnisse zur Sprache bringen. Charakteristisch ist die Vagheit, das Graduelle, nicht das Eindeutige, nicht „richtig" oder „falsch". *Im sprachlichen Befund spiegeln sich hier die kognitiven Mechanis-*

[37] *Strauch* (Fn. 7), 267, 527, 547 ff.

[38] Dazu *Strauch* (Fn. 7), 545 ff.

[39] Ausführlich *Strauch* (Fn. 7), 580 ff.

[40] *Strauch* (Fn. 7), 568 ff.

[41] Ausführlich und im Zusammenhang zur Mustererkennung als Denkform *Strauch* (Fn. 7), 527–597; speziell zur Bedeutung für die „Gesamtschau" und „Gesamtwürdigung" bei der Sachverhaltsermittlung *Strauch* (Fn. 7), 262–271.

men: Richterliches Erkennen wird in dem Moment zu einer Ästhetik des Erkennens, in dem der Richter mit dem begrifflich-nicht-wirklich-Greifbaren, also mit dem Vagen, konfrontiert ist und gleichwohl zu einer Bewertung kommen muss, die nicht im Vagen bleiben darf, sondern eindeutig zu sein hat. Das entsprechende Wortfeld ist bekannt: adäquat, in Ordnung, stimmig, angemessen, nicht zu beanstanden, angemessen, passend, fügt sich ein, rund. All diese Bewertungen lassen sich durch Zusätze auch noch graduieren: ganz, völlig, kaum, überzeugend etc.

Diese unterschiedlichen Einschätzungen und Graduierungen richterlicher Feststellungen und Schlussfolgerungen brauchen allerdings Beurteilungskriterien und einen theoretischen Rahmen, aus dem sich diese ableiten lassen. Die Hermeneutik bietet hier keine Hilfe: „Die Hermeneutik [...] ist [...] nicht etwa eine Methodenlehre", so das klare, meist übersehene Diktum Gadamers.[42] Bestimmen lassen sich die notwendigen Kriterien für die „Stimmigkeit" aber in dem theoretischen Rahmen, der selbst unmittelbar auf das „Sich-Einfügen", auf „Stimmigkeit" abstellt und nicht auf richtig oder falsch – also auf einen entsprechenden kohärenztheoretischen Ansatz. Wie bereits festgestellt, lässt sich die Wahrnehmung auf der Ebene individueller Kognition als Herstellung von Kohärenz beschreiben – nämlich als das Einfügen neuer Informationen in mein Welt- und Selbstbild. Für die *Richtigkeit* einer richterlichen Feststellung und Schlussfolgerung kann es aber auf dieses individuelle Welt- und Selbstbild evident nicht entscheidend ankommen. Auf dieser Ebene ist nur die Wahrnehmung relevant, die *intersubjektiv vermittelbar* ist. Entscheidend ist, ob und wie sie sich in das Welt- und Selbstbild der Anderen, der Gesellschaft einfügt.

Eine solche Vermittlung zwischen der Ebene des individuellen Wahrnehmens und Erkennens und der Ebene des richterlichen Erkennens ist zuerst eine unmittelbare menschliche Grunderfahrung, gehen wir doch in der Regel wie selbstverständlich davon aus, dass wir unsere Wahrnehmung mit jenen der Anderen teilen, sie wenigstens kommunizieren können. Was wir wahrnehmen, ist, wie schon gesagt, nicht nur das Konstrukt unseres individuellen Organs „Gehirn", das uns nichts anderes als die Illusion einer Realität vorgaukelt, es ist nicht nur die „neuronale Realität" des radikalen Konstruktivismus[43]. Wahrnehmung ist leibräumliches Erleben und Agieren in der Lebenswelt, die ich mit anderen teile.[44] Die Mechanismen, die dieser Vermittlung zugrunde liegen, sind allerdings komplex.

---

[42] *Gadamer* (Fn. 10), 3.

[43] Charakteristisch etwa die Position von *G. Roth* (Fn. 22), S. 326 ff.

[44] Siehe dazu *Merleau-Ponty* (Fn. 1) und die in Fn. 16 zitierte These sowie *Fuchs* (Fn. 16), 37 et passim.

Es sind Mechanismen sozialer Kognition,[45] die für den Menschen als Zṓon politikón, der nur mit einem „Du“, in einer Gruppe, in einer Gemeinschaft aufwachsen und existieren kann, konstitutiv sind. Stichworte, die zugleich auf ganz unterschiedliche theoretische Perspektiven verweisen, müssen in diesem Rahmen genügen: Anpassung, kollektives und kulturelles Gedächtnis, Habitus und Denkstile, Überein-Stimmung, Spiegelneuronen,[46] Gruppenkohärenz, Common Sense, Narrative, über die sich gesellschaftliche Werte vermitteln. Konkret: die richterliche Kognition ist immer auch institutionell strukturierte Kognition. Bestimmt wird sie entscheidend durch die professionelle, richterliche Rolle, nicht allein durch die individuell-subjektive Perspektive der Richterin oder des Richters. Die Wahrnehmung ist am Richtertisch eine andere als am Mittagstisch. Sie agiert mit anderen Intentionen, es werden andere Filter, andere Muster und andere Erfahrungen aktiviert.

Menschliches Wahrnehmen und Erkennen ist, mit anderen Worten, kraft der geschilderten Mechanismen durchaus darauf angelegt, dass sich unsere Feststellungen und Schlussfolgerungen auch in das Welt- und Selbstbild der Anderen, der Gesellschaft einfügen. Nur stellt sich Kohärenz auf dieser Ebene nicht mehr in vornehmlich autonom verlaufenden Prozessen her. Es ist eine weitgehend bewusst strukturierte Kohärenz.[47]

Definiert wird sie durch drei normative Bedingungen:[48] Zunächst *erstens Widerspruchsfreiheit* – eine Widerspruchsfreiheit, die im Wege der Subsumtion oder der Abwägung erreicht werden kann, aber nicht dadurch erlangt werden darf, dass man wesentliche Informationen und Argumente unter den Tisch fallen lässt. Nach der Stimmigkeit einer Argumentation oder einer Sachverhaltsfeststellung zu fragen, macht *zweitens* nur Sinn, wenn auch alle relevanten Informationen in sie eingestellt wurden. Entscheidend ist schließlich das *dritte* Element, die „Stimmigkeit“, die Kohärenz im engeren Sinn. Sie kann in der Konsequenz aller bisherigen Überlegungen nicht allein in der Bedingung liegen, dass ein Urteil aus

---

[45] *Strauch* (Fn. 7) mit den Stichworten: institutionelles Denken (102–111); Intersubjektivität (187–199); Interpretationsgemeinschaft (115, 345–348); Habitus (71).

[46] Näher *Fuchs* (Fn. 16), 198–203, 229. Zum Zusammenhang mit der eigenen Konzeption: *Hans-Joachim Strauch*, Rechtsprechungstheorie. Richterliche Rechtsanwendung und Kohärenz, in: Kent D. Lerch (Hrsg.), Die Sprache des Rechts. Studien der interdisziplinären Arbeitsgruppe Sprache des Rechts der Berlin-Brandenburgischen Akademie der Wissenschaften, Bd. 2: Recht verhandeln. Argumentieren, Begründen und Entscheiden im Diskurs des Rechts, Berlin 2005, 479–519, 494.

[47] Zur Unterscheidung zwischen intuitiv-automatischen Entscheidungsstrategien und dem von mir zu Grunde gelegten kohärenztheoretischen Ansatz *Strauch* (Fn. 7), 594 ff.

[48] Zu dem zu Grunde gelegten kohärenztheoretischen Ansatz im Zusammenhang: *Strauch* (Fn. 7), 119–154 (Teil B: Kohärenz und juristische Methode); 614–652 (Teil F: Die „richtige Entscheidung“ – Herstellung von Kohärenz).

den Prämissen logisch folgen muss. Zugrunde gelegt wird kein Verständnis von Kohärenz, nach dem q *logisch* aus p folgen muss; es genügt, dass p q „unterstützt“.[49] Idealiter ist das eine Schlussfolgerung aus gesicherten, zweifelsfreien Annahmen, akzeptierten Sätzen; das Ideal in der Praxis: das Gericht kann seine Entscheidung auf ein zweifelsfreies Sachverständigengutachten und die Rechtsprechung des BGH oder, noch besser, des BVerfG stützen. In jedem Fall muss es eine Schlussfolgerung aus den besseren Gründen sein. Welche das sind, wird man wissenschaftlich stringent meist nicht entscheiden können; eine Antwort kann auch nicht in einem Hinweis auf eine Legitimation durch einen herrschaftsfreien Diskurs im Sinn von Habermas liegen, denn ein solcher wird in einem Gerichtsaal nie stattfinden. Was die besseren Gründe sind, ist letztlich eine Frage der Akzeptanz[50] – eine Frage der Resonanz im Welt- und Selbstbild der Anderen, in den Ordnungen und Werten ihrer Lebenswelt. Es sind die Gründe, die besser andocken können, mehr überzeugen, besser passen.

Wenn Argumente als „passend“, „stimmig“ beschrieben werden, tritt zugleich die *ästhetische Dimension des kohärenztheoretischen Ansatzes* unverkennbar zu Tage. „Stimmigkeit“ folgt in der Regel nicht aus einem allein eindeutigen und durchschlagenden Grund, sondern aus einer Reihe von Gründen, die sich gegenseitig unterstützen, ineinander greifen und im Zusammenwirken das Begründungsmuster bilden. Und nur wenn es gelingt, in einem solchen Begründungsmuster widerstreitende Werte und Interessen so zum Ausgleich zu bringen, dass es als überzeugende und passende Antwort auf die Problemlage einleuchtet, wird auch die richterliche Entscheidung, die daraus abgeleitet wird, als gerecht wahrgenommen werden können. Wird dagegen auch nur ein einziges stützendes, nicht nebensächliches, Argument als schief oder gar verfehlt, als nicht mehr angemessen gewichtet wahrgenommen, gerät die gesamte Argumentation aus dem Gleichgewicht. Für ein gelungenes Begründungsmuster gilt dasselbe wie für ein gelungenes Bild oder Gedicht. Es ist nichts mehr hinzuzufügen, und man darf nichts wegnehmen, ohne Gefahr zu laufen, dass es dann nicht mehr „stimmt“.

V. „Dem Wahren – Schönen – Guten“?

Wer bei dem Stichwort Ästhetik immer auch das Motto im Kopf hat, das sich noch heute an der Alten Oper in Frankfurt/M. findet: „Dem Wahren – Schönen – Guten“, wird fragen: Wo aber bleibt bei dem bislang dargelegten Verständnis von Ästhetik der Gedanke an die Wahrheit, an die Schönheit? Platon hatte hier

49 Dazu *Strauch* (Fn. 7), 142 f.; 248 ff.

50 Näher *Strauch* (Fn. 7), 144–151, 199–206, 646–652.

ein Gleichheitszeichen gesetzt, der deutsche Idealismus hat es versucht, derzeit sehe ich nicht einmal theoretische Ansätze für eine Konkretisierung dieser Gleichung. Paralleles gilt für konkrete Kriterien, mit denen wir „Wahrheit“ bestimmen könnten. Da, wie schon gesagt, der Sachverhalt eben kein Abbild der Realität ist und der Richter das Recht eben nicht als ein objektiv Gegebenes erfasst, werden wir „Wahrheit“ nur in der Idee der „richtigen Entscheidung“[51] – im Anschluss an Kant also als regulative, *„transzendentale Idee“*[52] – wahrnehmen können. Die Funktion des regulativen Prinzips liegt dabei darin, einem Ideal, das nur in Gedanken existiert, die Regel seiner stets nur unvollkommenen Verwirklichung an die Hand zu geben.[53] Und der Richter wird sie auch so handhaben müssen, nämlich als Aufgabe, im „regulativen Gebrauch“ seine Methode so auf diese Idee auszurichten, „als ob“ dieses Ziel auch erreichbar wäre. Jede richterliche Entscheidung ist situativ – ob der Richter alle relevanten Informationen berücksichtigt und aus ihnen die richtigen Schlussfolgerungen gezogen hat, kann also nur im Hinblick auf die konkrete Prozesssituation beurteilt werden. Gibt es in dieser keine besseren Gründe, die für eine andere Entscheidung gesprochen hätten, ist sie – dem regulativen Prinzip folgend – „richtig“.

Und wie verhält es sich mit der Schönheit? – Schon die Zeit lässt hier nur noch Raum für Gedanken, nicht für Gedankengänge:[54] Da ist zum einen das unverkennbare, aber schwer durchschaubare Phänomen des Zusammenhangs von Schönheit und Wahrheit. Halten wir nicht alle das, was wir als schön empfinden, schnell auch für besser, stimmiger, gar richtiger? Nicht das, was elegant vorgetragen wird, für überzeugender? Beginnt das nicht hie und da schon bei Einstellungs- und Personalgesprächen? Für mathematische Lösungen ist „elegant“ ein oberstes Prädikat.[55] Nicht anders waren immer auch „juristische Konstruktionen“ Gegenstand ästhetischer Beurteilungen und Bewunderungen.[56] Gewiss, der Schönheitssinn taugt nicht als Beleg für Richtigkeit. Wie oft verdrängt eine Ästhetik der Macht die ihr unliebsame Wahrheit und die Ästhetik des Humanen? Andererseits: die kopernikanische Wende war bekanntlich eine Reaktion auf die Unklarheiten und Unstimmigkeiten des ptolemäischen Weltbildes. Nur war die richtige Antwort nicht die perfekte Schönheit des Kreises, sondern die nicht so

---

[51] Ausführlich *Strauch* (Fn. 7), 21 f., 616 ff.

[52] *Kant* (Fn. 13) KrV B 672; *Lege* (Fn. 17), Pragmatismus, 526: „Bedingung der Möglichkeit einer eigenständigen Jurisprudenz“.

[53] *Strauch* (Fn. 7), 616–620, 618.

[54] Zu weiterführenden Gedankengängen siehe etwa – aus strukturwissenschaftlicher Sicht – den Abschnitt „Ästhetik des Erkennens“ bei *Bernd-Olaf Küppers*, Nur Wissen kann Wissen beherrschen. Macht und Verantwortung der Wissenschaft, Köln 2008, 186 ff.

[55] Zu Nachweisen vgl. etwa *Jakobs* (Fn. 19), 70 ff.

[56] *Triepel* (Fn. 17), 5.

perfekte der Ellipse. Gleichwohl war es die Ästhetik, die der neuen Kosmologie den entscheidenden Anstoß gab. Wenn wir nach der stimmigen, gelungenen Entscheidung fragen, haben wir also im ästhetischen Sinn für das Schöne auch ein Instrument, das sehr feinfühlig auf Unklarheit und Unstimmigkeit reagieren kann, einen Seismographen, der ausschlägt, wenn etwas nicht in Ordnung, nicht rund, etwas falsch ist. Fragt man den Juristen, was da aktiviert wird, wird er auf das Rechtsgefühl, den Sinn für Gerechtigkeit, das Judiz verweisen, der Kantianer auf „das Rätselhafte in dem Prinzip der Urteilskraft"[57], der Peirceianer auf die Abduktion[58]. Konkret zu diskutieren wären dann die relevanten Denkformen, etwa in Gestalt des Wechselspiels von bestimmender und reflektierender Urteilskraft[59] oder der unterschiedlichen Formen der Abduktion[60]. Gelingt dieses Wechselspiel, schließt sich auch der Kreis. Der Kreis, den die richterliche Erkenntnis von der „reflectirten Wahrnehmung" (Kant)[61] bis zur kohärenten Schlussfolgerung, zum stimmigen Urteil durchlaufen muss.

---

[57] *Immanuel Kant*, Kritik der Urteilskraft (KdU), 1. Aufl. (A) Berlin 1790, 5, 169.

[58] Näher vgl. *Lege* (Fn. 17), Pragmatismus, 437 ff., 568.

[59] Dazu *Strauch* (Fn. 7), 565 ff.

[60] Dazu *Ralf Kölbel / Thorsten Berndt / Peter Stegmaier*, Abduktion in der justiziellen Entscheidungspraxis, Rechtstheorie 37 (2006), 85–108.

[61] *Kant* (Fn. 57), KdU A 5, 191.

Die Ästhetik anwaltlicher Erkenntnis

Kai-Michael Hingst

Einleitung

Die nachfolgenden Überlegungen zur ästhetischen Dimension der anwaltlichen Tätigkeit stehen unter der Leitfrage, welche Besonderheiten sich für die Rechtserkenntnis durch einen Rechtsanwalt aus dem Umstand ergeben, dass er nicht im luftleeren Raum, sondern im Dienste eines Mandanten agiert, der sich mit einem spezifischen rechtlichen Anliegen an ihn wendet, zu dem ihn der Anwalt zukunftsgerichtet berät.

Dabei mag schon die Themenstellung auf zwei skeptische Einwände treffen: Ist – erstens – Erkenntnis überhaupt ein denkbares *Ziel* anwaltlicher Tätigkeit? Fungiert ein Anwalt nicht einfach „nur" als Interessenvertreter, der dem Mandanten bestmöglich dabei hilft, dessen wirtschaftliche oder sonstige Interessen wahrzunehmen und durchzusetzen? Doch schließt hier das eine (Erkenntnisstreben) das andere (Interessenvertretung) nicht aus – im Gegenteil ist der Erkenntnisgewinn geradezu *conditio sine qua non* für gelungene und d. h. zugleich verantwortliche Interessenvertretung. Die Erkenntnisqualität anwaltlicher Tätigkeit ist auch schon deshalb zu bejahen, weil jede Rechtsanwendung – und also auch diejenige durch einen Rechtsanwalt – per se einen Erkenntnisakt darstellt. In den Urteilen deutscher Gerichte wird dieser Umstand traditionell und bis heute sogar mit dem Vorspruch artikuliert, das Gericht habe „für Recht erkannt". Ist ferner – zweitens – Ästhetik überhaupt eine passende *Dimension*, um die anwaltliche Tätigkeit zu beschreiben? Oder ist das schon deshalb zu hoch gegriffen, weil die Erzeugnisse (oder schnöder: die mündlichen und schriftlichen Produkte) eines Anwalts zwar funktional sein müssen, aber doch nicht schön genannt werden können? Nun bedeutet allerdings Ästhetik, wie das Programm der Tagung über „Gelingendes Recht" in Erinnerung bringt, nicht (jedenfalls nicht allein) die Lehre vom *Schönen*, sondern auch (und vor allem) die Lehre von der *Wahrnehmung*. Schließlich heißt gr. αἴσθησις *(aisthêsis)* „Wahrnehmung", und zwar Wahrnehmung schlechthin und nicht etwa schöne Wahrnehmung oder Wahrnehmung des Schönen. Als Wahrnehmungslehre kann sich die Ästhetik daher sehr wohl mit der Frage befassen, wie ein Anwalt das Recht wahrnimmt (und wie er dabei selbst wahrgenommen wird). Seine Tätigkeit hat daher allemal und sogar zwangsläufig auch eine ästhetische Dimension.

Vorauszuschicken ist, dass die folgenden Überlegungen aus der anwaltlichen Praxis geschöpft sind. Auf eine übergeordnete Theoriebildung in Gestalt einer juristischen Ästhetik wird verzichtet.[1] Manches wird auch nicht spezifisch für die *anwaltliche*, sondern kennzeichnend für die *juristische* Tätigkeit insgesamt sein. Der Gedankengang setzt mit einer kurzen Darstellung von Erscheinungsformen anwaltlicher Tätigkeit ein (I). Anschließend sollen aus einer kritisch überzeichnenden Außenperspektive auf Anwälte – also *ex negativo* – einige Standards anwaltlicher Erkenntnis entwickelt werden (II). Nach einem Blick auf die Ästhetik juristischer und insbesondere anwaltlicher Erkenntnis (III) werden sodann zwei ausgewählte Formen gelingender anwaltlicher Praxis näher betrachtet (IV), um am Ende ein Fazit zu ziehen (V).

I. Anwaltliche Tätigkeit

Beginnen wir mit der Beschreibung von Funktion und Rolle des Rechtsanwalts in der Bundesrechtsanwaltsordnung (BRAO): „Der Rechtsanwalt ist ein unabhängiges Organ der Rechtspflege“ (§ 1 BRAO) und steht als solches neben Richtern und Staatsanwälten. Und: „Der Rechtsanwalt ist der berufene unabhängige Berater und Vertreter in allen Rechtsangelegenheiten“ (§ 3 Abs. 1 BRAO). Beide Vorschriften gewährleisten die Unabhängigkeit des Rechtsanwalts vom Staat und seine Freiheit von staatlichen Weisungen.[2] Sie sichern damit seine eigenständige Stellung gegenüber Justiz sowie Exekutive und – historisch betrachtet – überhaupt gegen jede Form obrigkeitlicher Einflussnahme. Freilich ist der Rechtsanwalt nicht neutral. Vielmehr ist er „Parteivertreter“, nämlich Vertreter seines Mandanten und Wahrer von dessen Interessen. Als Parteivertreter ist er nicht unparteiisch wie ein Richter, sondern stellt seine Kunst in den Dienst des eigenen (und nicht des gegnerischen) Mandanten, so wie dieser es erwarten darf. Allerdings wird der Rechtsanwalt nicht alles (und auch nicht jeden) vertreten, worauf noch zurückzukommen ist. Er soll – nach Kräften – wirtschaftlich und innerlich unabhängig auch von seinen Mandanten bleiben. Freilich ist der

---

[1] Vgl. systematisch jüngst *Joachim Lege*, Ästhetik als das A und O „juristischen Denkens“ – 36 Thesen –, RphZ 2015, 28–36 unter Bezugnahme auf *Lege*, Pragmatismus und Jurisprudenz, Tübingen 1999, 306 ff.

[2] Zum Begriff der Unabhängigkeit und zum geschichtlichen Hintergrund *Rüdiger Brüggemann*, in: Wilhelm E. Feuerich / Dag Weyland, Bundesrechtsanwaltsordnung, 9. Aufl. München 2016, § 1 Rn. 13–20.

Rechtsanwalt Dienstleister. Als solcher steht er dem Mandanten beratend zur Seite und hilft ihm gegebenenfalls auch dabei, seine (häufig wirtschaftlichen) Interessen rechtsförmig zu wahren und durchzusetzen.

Folgende *Formen anwaltlicher Praxis* lassen sich unterscheiden: (i) Eine wesentliche, wenn auch bei weitem nicht die alleinige Aufgabe von Anwälten ist die *forensische* Tätigkeit, sei es in strafrechtlichen Angelegenheiten als Strafverteidiger, sei es als Prozessvertreter in zivilrechtlichen Streitigkeiten, auf den, weil vom Landgericht aufwärts Anwaltszwang besteht (§ 78 ZPO), schon von Gesetzes wegen nicht verzichtet werden kann. Bei der Prozessführung kommt es in besonderer Weise darauf an, auf Seiten des Gerichts – um hier mit dem amerikanischen Philosophen Charles Sanders Peirce zu sprechen – die Festlegung einer Überzeugung *(„fixation of belief")*[3] zu erreichen, die für den Mandanten zu einer möglichst günstigen Entscheidung führt – wie etwa im Strafprozess zu einem Freispruch oder einer milden Strafe oder im Zivilprozess zur Verurteilung des gegnerischen Beklagten, an den klagenden Mandanten die begehrte Geldsumme zu zahlen. (ii) Ein weiteres wichtiges Tätigkeitsfeld von Anwälten ist die Führung von *Verhandlungen*. Auch hier geht es naturgemäß darum, auf Seiten der Verhandlungspartner (oder auch -gegner) bestimmte Überzeugungen herbeizuführen, die es dem Mandanten ermöglichen, sein jeweiliges Ziel, z. B. den Abschluss eines Vertrages zu bestimmten Konditionen und innerhalb eines gewissen Zeitrahmens zu erreichen. (iii) Mit Verhandlungen verbindet sich oft eine *kautelarjuristische* Tätigkeit des Anwalts, d. h. die Aufgabe der Vertragsgestaltung. Hier ist der Anwalt gefordert, einen Vertrag in bestimmter, interessewahrender Weise auszuarbeiten oder einen bereits vorliegenden Vertragsentwurf zu kommentieren, wobei jeweils der sog. Marktstandard zu berücksichtigen ist. Auf der Vertragsgestaltung wird im Folgenden ein erster Schwerpunkt liegen. (iv) Des weiteren ist die *gutachterliche* Tätigkeit des Anwalts zu erwähnen, die der Klärung einer einzelnen Rechtsfrage oder auch der juristischen Weichenstellung bei einem bestimmten Geschäftsvorhaben dienen kann. Bei der Erstellung von Rechtsgutachten für Mandanten wird nachfolgend ein zweiter Schwerpunkt gesetzt. (v) Nicht zuletzt, wenn auch für Außenstehende weniger greifbar kann ein Anwalt *strategische* Beratung leisten, dies insbesondere für Unternehmen, und auf diese Weise daran mitwirken, bestimmte, typischerweise neuartige Geschäftsmodelle, die heutzutage häufig die Digitalisierung betreffen, zu entwickeln und umzusetzen. Diese Tätigkeit geht oft mit vorbereitenden gutachterli-

---

[3] *Charles Sanders Peirce*, The Fixation of Belief (1877), in: Collected Papers, Vol. 5, ed. by Charles Hartshorne / Paul Weiss, Cambridge 1935 (Reprint Bristol 1960), 223–247; zu den Methoden der Meinungsbildung nach Peirce vgl. *Klaus Oehler*, Charles Sanders Peirce, München 1993, 87–92.

chen und, wenn es zur Umsetzung kommt, mit kautelarjuristischen Aufgaben und der Mitwirkung an diesbezüglichen Verhandlungen einher.

II. Standards anwaltlicher Erkenntnis

Betrachten wir, um einige Anforderungen an die anwaltliche Erkenntnis zu fixieren, zunächst eine Anzahl abschätziger, pejorativer Bezeichnungen für Rechtsanwälte, die sich zu einem aufschlussreichen Fremdbild zusammenfügen. Aus diesen Wahrnehmungen lassen sich gewissermaßen *ex negativo*, wenn auch ohne Anspruch auf Vollständigkeit wesentliche Standards ableiten, denen die anwaltliche Tätigkeit genügen muss, wenn sie als gelungen gelten soll.

(i) Als „Winkeladvokat" wird – etymologisch gesehen – gescholten, wer als nicht qualifizierter Pseudoanwalt aus einem geheimen „Winkel" heraus agiert und sich überhaupt zweifelhafter und unlauterer Methoden bedient.[4] Demgegenüber ist der gute Anwalt idealiter zum prinzipiell öffentlichen, qualifizierten und redlichen Austausch von Rechtsauffassungen (modern gesprochen: zum Rechtsdiskurs) bereit und in der Lage.

(ii) Einem „Rechtsverdreher" in Gestalt eines Anwalts wird – als einem „[V]erdreher des gesetzlichen Rechts"[5] – entgegengehalten, dass er die doch (vermeintlich) klar zu Tage liegenden Vorgaben des Rechts absichtsvoll und interessegeleitet in eine verkehrte Richtung wendet und verdreht. Demgegenüber trägt der redliche Anwalt nach Kräften dazu bei, das Recht, dessen prinzipielle Richtigkeit und Zugänglichkeit unterstellt wird, aufzufinden und durchzusetzen.

(iii) Ein „Haarspalter" ist, wer die Kunst des gespaltenen Haares übt und Differenzierungen vornimmt, die nicht weiterführen, weil sie unsachlich sind, also mit der Sache, um die es geht, nichts zu tun haben. Dieses Etikett, mit dem nicht nur Anwälte versehen werden können, verweist im juristischen Kontext zugleich auf den Wahrheitskern, dass ein Anwalt (und ein Jurist überhaupt) ein Differenzierungskünstler, ein Künstler der Differenzierung im guten Sinne sein muss. Das *case law*-System des angelsächsischen Rechtsraums kennt hierfür den Terminus des *„distinguishing"*, verstanden als die juristische Technik, unter Verwertung von *precedents* die relevante Differenz ähnlich gelagerter Fälle herauszuarbeiten und Konsequenzen für die Lösung des vorliegenden eigenen Falles abzuleiten.

---

[4] Im Grimmschen Wörterbuch ist der „Winkeladvokat" verzeichnet als „volksläufige bezeichnung für einen, ‚der das amt eines sachwalters … unbefugt und geheim ausübt'" (Deutsches Wörterbuch von Jacob und Wilhelm Grimm, 1854 ff., München 1999, Bd. 30, Sp. 364 m. N.).

[5] Deutsches Wörterbuch (Fn. 4), Bd. 14, Sp. 440.

(iv) Der an einen Anwalt gerichtete Vorwurf, ein „Wortklauber" zu sein, soll besagen, dass der Anwalt mit bloßen Worten hantiere. Wünschenswert ist demgegenüber eine saubere Begrifflichkeit und Begriffssicherheit, so wie sie in Goethes „Faust I" – nach der fehlgehenden Anweisung Mephistos „Im ganzen – haltet Euch an Worte!" – der Schüler von seinem unerkannt falschen Lehrmeister einfordert: „Doch ein Begriff muß bei dem Worte sein." Diesen völlig richtigen Impuls versucht Mephisto – seinerseits wortklauberisch – dann wie folgt zu entkräften:

> „Schon gut! Nur muß man sich nicht allzu ängstlich quälen.
> Denn eben wo Begriffe fehlen,
> Da stellt ein Wort zur rechten Zeit sich ein.
> Mit Worten läßt sich trefflich streiten,
> Mit Worten ein System bereiten,
> An Worte läßt sich trefflich glauben,
> Von einem Wort läßt sich kein Jota rauben."[6]

Der hier anklingende sprichwörtliche Streit um Worte[7] wird zur Leidenschaft des Wortklaubers, wenn dem Wort kein Begriff korrespondiert, so dass es als bloße Worthülse fungiert.

(v) Als „Prinzipienreiter" sind Anwälte (aber nicht nur sie) verschrien, wenn sie verbohrt und starrsinnig unter allen Umständen auf Prinzipien insistieren, ohne dadurch das jeweilige Vorhaben voranzubringen. Der Vorwurf des Prinzipienreitens ist freilich nicht mit der Auffassung zu verwechseln, Prinzipien seien per se untauglich, um eine Position zu begründen. Gefordert ist – bei grundsätzlich wünschenswerter Prinzipienfestigkeit – vielmehr eine gewisse kontextbezogene Flexibilität im Sinne der Fähigkeit, Prinzipien mit Maß und mit Ziel und d.h. mit gesundem (juristischen) Menschenverstand anzuwenden, statt sie zu vereinseitigen und auf die Spitze zu treiben.[8]

(vi) Wer mutlos und kleingeistig Bedenken und Einwände gegen alles und jedes vorträgt und überall Probleme sieht, statt Lösungen anzubieten, muss mit dem Einwand rechnen, ein „Bedenkenträger" zu sein. Dieser Vorwurf kann übrigens nicht nur externe anwaltliche Berater, sondern bisweilen auch Unternehmensjuristen (Syndikusrechtsanwälte) treffen. Dahinter steht der von Mandanten bzw. operativ tätigen Unternehmensmitarbeitern oft gehegte und auch verständ-

---

[6] *Johann Wolfgang von Goethe*, Faust I, Studierzimmer 2, V. 1990, 1993, 1994–2000.

[7] Mit der abschließenden Bemerkung, dass sich von einem Wort „kein Jota rauben" lasse, lässt Goethe hintersinnigerweise ausgerechnet den Teufel auf den – an diesem einen griechischen Buchstaben festgemachten – innerchristlichen Streit um Gleichheit (gr. *homoousia*) vs. (bloße) Ähnlichkeit (gr. *homoiousia*) von Jesus und Gott anspielen.

[8] Vgl. *Kai-Michael Hingst*, Recht aus Prinzip. Eine philosophische Betrachtung, Bucerius Law Journal 2017, Heft 1, 90–92.

liche Wunsch nach Entscheidungsfreude und klaren Handlungsempfehlungen des Rechtsberaters, der sich in der Rechtswirklichkeit freilich mitunter an der Rollenverteilung zwischen juristischem Ratgeber und kommerziellem Entscheider bricht.

(vii) Die hier zusammengestellten Anwürfe bündeln sich in der Persiflage von Recht und juristischer Tätigkeit als sinnfrei erstarrter Unvernunft insgesamt, wie sie – ebenso geistreich wie frivol – der studierte Jurist Goethe (in der nämlichen Szene des „Faust I") von Mephisto vortragen lässt:

> „Es erben sich Gesetz' und Rechte
> Wie eine ew'ge Krankheit fort;
> Sie schleppen von Geschlecht sich zum Geschlechte
> Und rücken sacht von Ort zu Ort.
> Vernunft wird Unsinn, Wohltat Plage;
> Weh dir, daß du ein Enkel bist!
> Vom Rechte, das mit uns geboren ist,
> Von dem ist, leider! nie die Frage."[9]

Die vorstehenden sieben Zerrbilder und Fehlformen anwaltlicher Aktivität lassen pointilistisch und *ex negativo* erkennen, dass es – hier ohne Anspruch auf Vollständigkeit zusammengestellte – anwaltliche Standards gibt, nämlich jedenfalls diese sieben: (i) Öffentlichkeit (vs. lichtscheue Winkeladvokatur), (ii) Richtigkeit (vs. Rechtsverdreherei), (iii) Differenzierungsvermögen (vs. Haarspalterei), (iv) Begriffssicherheit (vs. Wortklauberei), (v) Maßhalten (vs. Prinzipienreiterei), (vi) Entscheidungsfreude (vs. Bedenkenträgerei) und – überwölbend – (vii) Vernünftigkeit (vs. Unsinnigkeit). An diesen Standards ist die anwaltliche Tätigkeit zu messen.

Das Vorstehende deutet zugleich bereits an: *Es ist nicht alles vertretbar.*[10] Die postmoderne Parole des „*Anything goes*", wie Paul Feyerabend sie (ironisch) in „heitere[m] Anarchismus" ausgegeben hat,[11] gilt in der Rechtspraxis (und ebenso in der Rechtswissenschaft) gerade nicht. Das heißt: Ein guter Rechtsanwalt kann nicht „alles" vertreten; wer „alles" zu vertreten bereit ist, der ist kein guter Rechtsanwalt. Ohne dies hier im Einzelnen ausführen zu können, sei doch festgehalten: Die übergeordnete Begrenzung des Vertretbaren bildet das *Rechtssystem*. Es ist der methodisch aufgespannte Rahmen für das juristische *Sprachspiel*,

---

9 *Goethe*, Faust I, Studierzimmer 2, V. 1972–1981.

10 Anders *Daniel Damler*, Rechtsästhetik. Sinnliche Analogien im juristischen Denken, Berlin 2016, 34: „Für unzutreffend erkannte Rechtsauffassungen so zu verteidigen, als ob man sie für zutreffend hielte, ist problemlos möglich und gehört zum juristischen Tagesgeschäft"; kritisch dazu *Joachim Lege*, Rechtsästhetik, RW 2017, 351–359, 359.

11 *Paul Feyerabend*, Against Method (1975), dt. Wider den Methodenzwang, 6. Aufl. Frankfurt a. M. 1997, 11, 13, 21, 32.

um einen Ausdruck von Ludwig Wittgenstein zu verwenden, das wie jedes Spiel Regeln hat, die beachtet werden müssen, damit man es überhaupt sinnvoll spielen kann.

III. Ästhetik anwaltlicher Erkenntnis als Form juristischer Ästhetik

Anwaltliche Erkenntnis ist eine Form juristischer Erkenntnis. Weitere Formen juristischer Erkenntnis sind die rein rechtswissenschaftliche Erkenntnis, die über eine einzelne Fallkonstellation hinausgeht und nicht von den Interessen (einschließlich der Erkenntnisinteressen) der Beteiligten und ihren wirtschaftlichen Absichten ausgelöst wird, und die richterliche Erkenntnis, die sich immer auf eine konkrete Streitsache bezieht und Ausdruck in einer Entscheidung (namentlich in einem Urteil) findet. Die juristische Ästhetik im allgemeinen (dazu 1) überwölbt daher die anwaltliche Ästhetik, für die wiederum (ebenso wie für die weiteren Formen juristischer Ästhetik) einige Besonderheiten zu beachten sind (dazu 2).

1. Zur Ästhetik juristischer Erkenntnis im allgemeinen

Schönheit gilt seit alters her als Gütemerkmal. Die Koinzidenz des Guten und des Schönen wurde bereits im altgriechischen Ideal der *Kalokagathie* (das „Schöne-und-Gute“) auf einen bleibenden Begriff gebracht. Dieses Ideal, das zunächst auf den vortrefflichen, edlen Mann (den καλὸς κἀγαθός, *kalòs kagathós*) gemünzt war,[12] markiert zugleich den frühen und seitdem nicht mehr überschrittenen theoretischen Höhepunkt der Einsicht, dass Schönheit und Güte zwei Seiten derselben Medaille sind, weil das (wahrhaft) Gute zugleich schön und das (wahrhaft) Schöne zugleich gut ist.[13] Wenn hier eine sehr irdische Nutzanwendung dieser Einsicht erlaubt ist, kann sie im juristischen Bereich darin liegen, dass die Erfüllung der soeben dargestellten Standards nicht nur gut ist, sondern ihr auch eine Qualität des Schönen zugeschrieben werden kann.

Dass die Kategorie der Schönheit dem juristischen Denken tatsächlich nicht fremd ist, hat im Übrigen kein Geringerer als Rudolf von Jhering ausgesprochen. In seinem Hauptwerk „Geist des römischen Rechts“ stellt Jhering drei Gesetze für das auf, was er „juristische Konstruktion“, d.h. eine bestimmte Form der

---

[12] Zum semantischen Hintergrund *Christoph Horn / Christof Rapp* (Hrsg.), Wörterbuch der antiken Philosophie, 2. Aufl. München 2008, 229.

[13] In alltagssprachlicher Verflachung begegnet die Paarung des Schönen mit dem Guten in der Wendung, etwas sei ja „ganz schön und gut“, worauf zumeist ein unterminierendes „aber“ folgt.

„Gestaltung des Rechtsstoffs", nennt,[14] darunter – als drittes und letztes – das „*Gesetz der juristischen Schönheit*": „Man wird es für gesucht halten, wenn ich von einem juristischen Kunst- oder Schönheitssinn spreche. Aber die Sache selbst bringt es mit sich, und wenn man mir einmal verstattet hat, von einer *künstlerischen* Gestaltung des Stoffs zu reden, so wird man sich auch den Kunstsinn gefallen lassen müssen."[15] Das „Element", in dem dieses Gesetz wurzle, bezeichnet Jhering als ein „ästhetisches".[16] Als wichtige Anhaltspunkte für eine ästhetische Beurteilung nennt er Einfachheit, Anschaulichkeit, Durchsichtigkeit und Natürlichkeit.[17] Wie eminent bedeutsam die ästhetische Komponente für Jhering war, wird deutlich, wenn er an anderer Stelle das „*juristisch-ästhetische*" Bedürfnis als „eine der wichtigsten Triebfedern aller Jurisprudenz" bezeichnet.[18]

Die hier nur kurz rekapitulierten Beobachtungen Jherings lassen erkennen, dass juristische Schönheit ein Desiderat des juristischen Denkens ist, zu dem sie nicht etwa akzidentiell hinzutritt, sondern das sie wesentlich prägt. Dabei hat juristische Schönheit sowohl eine äußere als auch innere Seite: (i) Die äußere Schönheit, verstanden als Schönheit der *Darstellung* des Erkannten, ist jedenfalls gekennzeichnet durch eine ansprechende Form (formale Korrektheit), durch Eleganz (Kunstfertigkeit) im Gegensatz zur (vom römischen Juristen Gaius so bezeichneten) *inelegantia iuris*[19] – dies eine Stelle, die Jhering als Beleg dafür anführt, dass bereits die römischen Juristen „ein juristisches Schönheitsgefühl" kannten[20] –, durch die Ausgewogenheit einer weder kopf- noch schlusslastigen, von einem Spannungsbogen getragenen Darstellung – und schließlich durch die Schönheit von Sprache und Stil, letzteres allerdings eingedenk von Schopenhauers Ausspruch: „Der Stil erhält die Schönheit vom Gedan-

[14] Näher *Cosima Möller*, Die juristische Konstruktion im Werk Rudolf von Jherings – vom universellen Rechtsalphabet bis zur juristischen Schönheit, JZ 2017, 770–777, hier 773 f. Die beiden ersten Gesetze sind das „Gesetz der Deckung des positiven Stoffs" (d. h. der positiven Rechtssätze) und das „Gesetz des Nichtwiderspruchs oder der systematischen Einheit".

[15] *Rudolph von Jhering*, Geist des römischen Rechts auf den verschiedenen Stufen seiner Entwicklung (1858), Zweiter Theil, Zweite Abtheilung, 5. Aufl. Leipzig 1898, § 41, 379–382, hier 379 f.

[16] *von Jhering* (Fn. 15), 379.

[17] *von Jhering* (Fn. 15), 380 f.; hierzu *Möller* (Fn. 14), 774, vertiefend 775.

[18] *Rudolf von Jhering*, Unsere Aufgabe, Jahrbücher für die Dogmatik des heutigen römischen und deutschen Privatrechts, Bd. 1, 1857, 1–52, hier 11–14, insbes. 12.

[19] *Gaius*, Institutiones / Die Institutionen des Gaius, hrsg. und übersetzt von Ulrich Manthe, Darmstadt 2004, Erstes Buch, §§ 84 f., S. 68, dort freilich wiedergegeben mit „Verstoß gegen Rechtsprinzipien" (69); vgl. demgegenüber *Hermann Heumann / Emil Seckel*, Handlexikon zu den Quellen des römischen Rechts, Jena 1907 (Reprint Graz 11. Aufl. 1971), s.v. „inelegantia", 262: „Ungereimtheit, Verstoß gegen den Geist des Rechts, gegen die juristische Feinheit".

[20] *von Jhering* (Fn. 15), 380, Fn. 523.

ken",[21] weshalb der Ausruf: „,Was für ein schöner Gedanke!'"[22] tiefer reicht als das Lob des Stils allein. (ii) Damit ist bereits der Übergang zur inneren und eigentlichen Schönheit markiert, verstanden als Schönheit des *Erkannten* selbst. Zu ihren Insignien zählen allemal Einfachheit – denn die Wahrheit ist einfach –, Widerspruchsfreiheit, Zwanglosigkeit und Vollständigkeit im Sinne einer „Ausschöpfung" von Sachverhalt und rechtlichem Regelwerk gleichermaßen. Sofern dies beides, die äußere und die innere Seite, einander korrespondiert, stellt sich eine (ästhetische) Befriedigung ein, die wir als Freude am Gelingen der juristischen Erkenntnis erleben und der wir auch sprachlich Ausdruck verleihen, wenn wir etwa sagen: „Es ist stimmig", „es rundet sich", „es fügt sich", „es passt". An diesen ästhetischen Urteilen fällt auf, dass sie sich der Sprache der (bildenden) Kunst bedienen.

Über diese wenigen Bemerkungen hinaus ist hier nicht der Ort, die Theorie einer *juristischen Ästhetik* als spezifisch juristische Wahrnehmungslehre zu entfalten oder zu diskutieren. Will man diese begrifflich fassen, so wird Lege beizupflichten sein: „Juristische Ästhetik ist in ihrem Ausgangspunkt der Sinn für das Geflecht [...] der rechtlichen Wertungen – wenn man will: der Prinzipien [...] einer Rechtsordnung."[23] Und: „Juristische Ästhetik zielt in ihrem Endpunkt [...] auf das Vermögen [...], in einem Rechtsfall die bessere Lösung als ‚juristisch richtig' [...] zu erkennen und wahrzunehmen."[24] Es leuchtet – zumal mit Blick auf Jhering – ein, dieses Vermögen als „eine Art Kunstverstand" zu begreifen.[25]

2. Zur Ästhetik anwaltlicher Erkenntnis im besonderen

Welche Besonderheiten ergeben sich nun – namentlich unter dem Gesichtspunkt ihres Gelingens – für die anwaltliche Erkenntnis als (Sonder-)Fall juristischer Erkenntnis?

Zunächst einmal gibt es *äußere Ereignisse* gegen Ende eines Mandats, die für das Gelingen der anwaltlichen Tätigkeit sprechen, die, wie eingangs ausgeführt, immer auch einen Erkenntnisakt einschließt. Beispiele hierfür sind die schließliche Unterzeichnung (das *Signing*) eines langwierig verhandelten Vertrages und nachfolgend dessen rechtliche Umsetzung (das *Closing*), das Obsiegen in der letzten Instanz eines hart umkämpften Prozesses und nicht zuletzt die Zufriedenheit des Mandanten und gegebenenfalls auch die Anerkennung der anwaltlichen

---

[21] *Arthur Schopenhauer*, Parerga und Paralipomena (1851), Bd. II, Kap. 23: Ueber Schriftstellerei und Stil, § 283, Zürcher Ausgabe. Werke in zehn Bänden, Zürich 1977, Bd. X, 566.

[22] Vgl. *Karsten Schmidt*, MaKSimen, KSenien, RefleKSionen. Heute: Rechtswissenschaft als abstrakte Kunst, JuS 2017, Heft 10, JuS-aktuell, 83.

[23] *Lege*, Ästhetik (Fn. 1), 33, These Nr. 21.

[24] *Lege*, Ästhetik (Fn. 1), 33, These Nr. 23.

[25] So *Lege*, Ästhetik (Fn. 1), 33, Fn. 41.

Leistung durch den Mandanten. All dies belegt freilich nicht notwendigerweise, dass der Anwalt hervorragende Arbeit geleistet hat: Vielleicht hat er, wie lediglich die Gegenseite bemerkt hat, bei den Vertragsverhandlungen einen entscheidenden Punkt übersehen, vielleicht im Rechtsstreit einfach nur Glück gehabt, weil Gericht und Gegner die Angelegenheit ebenso wenig durchdrungen haben wie er selbst, und vielleicht ist der Mandant eher aus Erleichterung über den glücklichen Ausgang als aus eigener Sachkunde dankbar. Dem mag ab und an so sein. Indes schlagen solche theoretischen Relativierungen nicht generell durch, weil letztlich immer der konkrete Einzelfall entscheidend ist, so dass im Großen und Ganzen die beispielhaft angeführten Ereignisse – bei Wahrung der identifizierten anwaltlichen Standards[26] – als Indikatoren gelungener anwaltlichen Beratungstätigkeit gelten können.

Fest steht jedenfalls, dass eine entscheidende *innere Voraussetzung* für anwaltlichen Erfolg – neben vorzüglicher Sachkenntnis auf dem eigenen Rechtsgebiet und handwerklicher Sauberkeit – in der Fähigkeit besteht, im Zuge und zum Zwecke des Erkenntnisgewinns immer auch die *Perspektive* der anderen Partei(en) in die eigenen Überlegungen einzubeziehen.[27] Dabei ist es keinesfalls damit getan, der rechtsbegrifflich formulierten, gegenläufigen Auffassung namentlich eines Verhandlungspartners oder Prozessgegners seinerseits Argumente entgegenzusetzen, die juristisch-methodisch korrekt gebildet sind und als überlegen angesehen werden. Die Einbeziehung der Perspektive des anderen bedeutet vielmehr, diese Perspektive gedanklich selbst einzunehmen und probeweise gelten zu lassen, auch wenn man selbst mit guten Gründen völlig anderer Meinung ist. Es ist nicht selbstverständlich, über diese Fertigkeit, die durch Empathie befördert wird, zu verfügen, so dass das eigene kognitive Repertoire gegebenenfalls durch Einübung von *Perspektivenwechseln* um sie erweitert werden muss. Im besten Fall gelingt es dann spielend, bei Bedarf einen Wechsel der Perspektive zu vollziehen, eben um die Sichtweise des anderen und damit, jetzt ästhetisch gesprochen, dessen Wahr-Nehmung zu verstehen und darauf – so oder so – reagieren zu können.

In der Philosophie war es Nietzsche, der den Gedanken des *Perspektivismus* methodologisch auf den Punkt gebracht hat,[28] wenn er schreibt: „Es gibt *nur* ein

---

[26] Siehe oben II.

[27] Vgl. *Lege*, Ästhetik (Fn. 1), 31 f., These Nr. 16 f., hier Nr. 17 für juristische Urteile: „Bedingung für ein gelungenes juristisches Urteil ist, dass der Urteilende die Perspektive der Streitenden – *beider* Streitenden –, dass er ihre *Wahrnehmung* des Problems nachzuempfinden in der Lage ist."

[28] Hierzu im Einzelnen *Kai-Michael Hingst*, Perspektivismus und Pragmatismus. Ein Vergleich auf der Grundlage der Wahrheitsbegriffe und der Religionsphilosophien von Nietzsche und James, Würzburg 1998, 55–87 mit zahlreichen Nachweisen.

perspektivisches Sehen, *nur* ein perspektivisches ‚Erkennen'; und *je mehr* Affekte wir über eine Sache zu Worte kommen lassen, *je mehr* Augen, verschiedne Augen wir uns für dieselbe Sache einzusetzen wissen, um so vollständiger wird unser ‚Begriff' dieser Sache, unsre ‚Objektivität' sein."[29] Bemerkenswert ist dabei, dass Nietzsche – trotz aller erkenntnisskeptischen Töne und Untertöne seines Philosophierens – im Wege des Perspektivismus so etwas wie (freilich in Anführungszeichen gesetzte) Objektivität für erreichbar erklärt.[30]

Das (hier nur angedeutete) Prinzip des Perspektivismus, verstanden als methodischer, bewusster und gezielt eingesetzter Perspektivenwechsel, gilt nun für die Feststellung von Tatsachen ebenso wie für deren rechtliche Würdigung, und dies umso mehr, als die Perspektive des Mandanten auf beides interessengebunden ist:

(i) Der zugrunde liegende *Sachverhalt*, d. h. die Gesamtheit der im konkreten Fall relevanten Tatsachen, ist niemals einfach nur „vorgegeben", sondern immer erst zu konstituieren, wenn nicht sogar, konstruktivistisch gesprochen, zu konstruieren. Dabei stellt sich, was den Mandanten als Informationsquelle betrifft, durchweg nicht nur die Frage, ob der Mandant alles juristisch Relevante wahrnimmt und ob seine Wahrnehmung gelenkt ist, so z. B. durch Fortschreibung eines verfestigten Irrtums über die Stärke der eigenen Position (infolge eines *confirmation bias*), durch Emotionen wie Kränkung und Verärgerung oder durch sonstige womöglich unsachliche Gründe. Vielmehr – und das ist kein Geheimnis – ist unsere Wahrnehmung ohnehin *immer* selektiv, so dass – vorbehaltlich der exklusiven Superperspektive von „*God's eye view*" – keiner „alles", wie immer man es fassen will, wahrnehmen kann. Umso mehr steht der Anwalt vor der Aufgabe, die Lebenswirklichkeit nach Kräften so zu sieben, dass auf tatsächlicher Ebene alles, was juristisch relevant sein, d. h. Anlass für eine rechtssystemkonforme Differenzierung geben könnte, als „Sachverhalt" ermittelt wird. Dieser ist dann etwa für ein Rechtsgutachten der juristisch relevante Ausschnitt des Gesamtgeschehens.

(ii) Der ausgeformte und vom Mandanten bestätigte Sachverhalt bildet die Basis der *rechtlichen Würdigung*, sei es in Form eines Gutachtens, sei es in Form eines Schriftsatzes für einen Rechtsstreit. Auch und gerade für dessen Ausarbeitung gilt das Prinzip des Perspektivismus, also der methodische Perspektivenwechsel: Man wird also versuchen, um mit Nietzsche zu sprechen, sich möglichst viele „verschiedne Augen [...] für dieselbe Sache einzusetzen", ein Rechtsproblem von einer Vielzahl, wenn nicht von allen Seiten zu betrachten, um zu

[29] *Friedrich Nietzsche*, Zur Genealogie der Moral (1887), Dritte Abhandlung: Was bedeuten asketische Ideale?, 12, Kritische Studienausgabe, hrsg. von Mazzino Montinari / Giorgio Colli, München 1980, Bd. 5, 365.

[30] Zur Objektivität vgl. auch *Lege*, Ästhetik (Fn. 1), 32, These Nr. 20 mit Fn. 34.

bestmöglicher „Objektivität" zu gelangen, indem man es schlussendlich im Geflecht des Rechtssystems so gut wie möglich loziert und auf diese Weise löst. Das genau ist die Herausforderung für die Wahrnehmung des Anwalts, um „zu ‚richtigen' Inhalten" zu gelangen.[31]

IV. Gelingende anwaltliche Praxis

Die vorstehenden Überlegungen zur Ästhetik anwaltlicher Erkenntnis werden nachfolgend an Hand von zwei charakteristischen anwaltlichen Aktivitäten[32] exemplifiziert: der Vertragsgestaltung (dazu 1) und der Erstellung von Rechtsgutachten (dazu 2).

1. Gelungene Vertragsgestaltung

Die anwaltliche – und ebenso die notarielle – Tätigkeit der Vertragsgestaltung[33] ist mit der Arbeit eines Architekten vergleichbar. Ein (gelungener) Vertrag ist wie ein Bauwerk, dessen Einzelteile sich zu einem Ganzen zusammenfügen, in dem ein jedes eine Funktion erfüllt. Sehr treffend spricht man daher auch von „Vertragsarchitektur", was bereits auf die ästhetische Komponente der Vertragsgestaltung hindeutet. Als Vertragsgestalter ist ein Anwalt – und in gleicher Funktion ein Notar – *Vertragsarchitekt*. Vertragsgestaltung kann daher als τέχνη *(téchnê)* im griechischen Wortsinn verstanden werden: als eine Fertigkeit, eine Kunstfertigkeit durchaus, und somit zugleich als ein kreativer Akt.

Im Folgenden sollen nicht methodisch-didaktische Überlegungen zur Vertragsgestaltung rekapituliert oder die handwerklich-technische Seite der Vertragsgestaltung näher beleuchtet werden, bei der es vor allem auf Präzision (zwecks klarer Regelungen), saubere Definitionen (auch zur Verhinderung späterer Wortklauberei), Eindeutigkeit (zur Vermeidung streitauslösender Ambiguitäten), den Verzicht auf Redundanzen (als unnütze und womöglich sogar widersprüchliche mehrfache Regelung derselben Materie) und sachgerechte Differenzierung (gemäß den Vorgaben der Vertragsparteien) ankommt. Vielmehr soll – im Lichte der Funktion eines Vertrages – als Charakteristikum der Vertragsge-

[31] Vgl. *Lege*, Ästhetik (Fn. 1), 30, These Nr. 10.

[32] Siehe schon oben I.

[33] Hierzu *Wulf Döser*, Vertragsgestaltung im internationalen Wirtschaftsrecht, München 2001; *Carsten Kunkel*, Vertragsgestaltung. Eine methodisch-didaktische Einführung, Berlin/Heidelberg 2016; *Lutz Aderhold / Raphael Koch / Karlheinz Lenkaitis*, Vertragsgestaltung, 3. Aufl. Baden-Baden 2018; *Peter Rawert*, Rechtsgestaltung durch Private, in: Hagen Hof / Peter Götz von Olenhusen (Hrsg.), Rechtsgestaltung – Rechtskritik – Konkurrenz von Rechtsordnungen. Neue Akzente für die Juristenausbildung, Baden-Baden 2012, 58–70.

staltung die *antizipative* Vorgehensweise, in der zugleich die wesentliche Erkenntnisleistung des vertragsgestaltenden Juristen liegt, hervorgehoben werden.

Im Unterschied zur Aufstellung allgemeiner Regelungen für eine Vielzahl von Fällen, wie sie das Gesetz beabsichtigt, und zur retrospektiven Dezisionsleistung, die durch ein gerichtliches Urteil erbracht wird und werden muss, dient ein Vertrag in erster Linie dazu, die *künftigen Rechtsbeziehungen* der konkreten Vertragsparteien zu einem bestimmten Thema, nämlich in Hinblick auf den Vertragsgegenstand zu regeln. Dabei werden die gemeinsamen wirtschaftlichen Vorstellungen der Parteien, also etwa des eigenen und des gegnerischen Mandanten, in ein Rechtskleid gebracht, das z.B. unter dem Titel eines „Geschäftsanteils- und -übertragungsvertrages" einen Unternehmenskauf abbildet, bei dem der Verkäufer dem Käufer seine Geschäftsanteile an einer GmbH verkauft und übereignet *(Share Deal)*. Der Vertrag dient somit der fairen und juristisch optimalen Umsetzung eines zwischen den Parteien erreichten Verhandlungsergebnisses, das selbstverständlich von ihrer Marktmacht, ihrer Verhandlungsstärke, ihrem Interesse und ihrer Angewiesenheit auf den konkreten Vertragsschluss abhängt, aber im Kern in der Regel kooperativen und nicht wie ein Rechtsstreit konfrontativen Charakter hat. Und der Rechtsstreit ist es auch, der durch einen guten Vertrag nach Möglichkeit vermieden werden soll, weil aus dem Vertrag eindeutig hervorgeht, wie die Parteien ihr Rechtsverhältnis regeln wollen und das heißt: welche *Rechtswirkungen* sie vereinbart haben.

Um aber überhaupt abschätzen zu können, welche Rechtswirkungen eine vertragliche Bestimmung hat, muss der Vertragsgestalter – und darauf kommt es nun an – *zukunftsgerichtet*, d.h. *antizipativ* denken.[34] Er muss sich in Kenntnis der einschlägigen Gesetze fragen, wie die Rechtslage wäre, wenn in den Vertrag zu einem bestimmten Thema keine besondere Regelung aufgenommen würde. Dabei ist für den Mandanten in jedem einzelnen Fall weniger die abstrakte Frage nach dem Recht im allgemeinen als die sehr konkrete Frage entscheidend, ob er sein vorgestelltes Interesse auf Basis des vorliegenden Vertrages im Zweifel, also im Streitfall, vor Gericht durchsetzen könnte. In äußerster Zuspitzung und letzter Konsequenz führt diese Überlegung zu dem Rechtsverständnis, das der amerikanische Richter Oliver Wendell Holmes, Jr., der 30 Jahre lang dem amerikanischen Supreme Court angehörte, in einem berühmten Diktum ausgesprochen hat: "The prophecies of what the courts will do in fact, and nothing more pretentious, are what I mean by the law."[35] Die *Vorhersagen* dessen, was die Gerichte

---

[34] Vgl. *Aderhold / Koch / Lenkaitis* (Fn. 33), 27: „Die Vertragsgestaltung schaut nach vorne, weil sie gerade in der Zukunft wirken soll. Sie enthält eine Prognose über künftige Entwicklungen und muss Konfliktpotential bedenken. [...] Insoweit sollte der Vertragsgestalter die möglicherweise entstehenden Rechtsprobleme antizipieren und sie vorsorglich regeln."

[35] *Oliver Wendell Holmes, Jr.*, The Path of the Law (1897), in: Max Lerner (ed.), The Mind

tatsächlich entscheiden werden (wohlgemerkt nicht das, was die Gerichte entscheiden), und nichts darüber hinaus, machen nach Holmes das Recht aus. Damit legt der Rechtspraktiker Holmes ein pragmatistisches Verständnis des Rechts an den Tag, dessen Keim mit hoher Wahrscheinlichkeit im „Metaphysical Club" gelegt wurde, einem Gesprächskreis junger Gelehrter der Harvard University, dem Holmes zusammen mit seinem bereits erwähnten Freund Charles S. Peirce, dem Begründer der Philosophie des Pragmatismus, angehörte.[36]

Holmes' unprätentiös daherkommende *Vorhersagetheorie* des Rechts eignet sich nun vorzüglich dazu, den antizipativen Charakter der Vertragsgestaltung zu beschreiben: Der Kautelarjurist muss sich letztlich fragen, wie die Regelungen des Vertrages in Hinblick auf denkbare künftige Ereignisse in der Vertragsbeziehung (wie z. B. die Nichtzahlung des Kaufpreises, das Auftreten eines Mangels der Kaufsache, die Entdeckung umweltrechtlicher Altlasten oder unerwartete Sanktionen von Aufsichtsbehörden) und dadurch eventuell ausgelöste spätere Meinungsverschiedenheiten der Vertragsparteien (wie namentlich ein abweichendes Verständnis der getroffenen Vereinbarungen) beschaffen sein müssen, damit ein Gericht – sei es ein ordentliches Gericht oder ein Schiedsgericht – die Rechtslage, wenn es zum Rechtsstreit kommt, so beurteilt, wie es der bei Vertragsabschluss vorgestellten Auffassung der eigenen Seite entspricht. Dafür ist eine *Prognose* anzustellen, die in Betracht zieht, welche Rechtswirkungen sich aus den vertraglichen Bestimmungen in Verbindung mit dem anwendbaren Gesetzesrecht (z. B. des BGB) ergeben.[37] Das reicht bis in die Gültigkeit einzelner Vertragsbestimmungen hinein, für die sich die Frage stellen kann, ob sie vor Gericht „halten" oder aber verworfen würden, weil sie gegen zwingendes Recht *(ius cogens)* oder das Gebot von Treu und Glauben (§ 242 BGB) verstoßen und etwa insbesondere als Teil allgemeiner Geschäftsbedingungen unwirksam sind, da sie den Vertragspartner unangemessen benachteiligen (§§ 307 ff. BGB).

Eine übliche vertragliche Regelung, die für genau diesen Fall Vorsorge treffen soll und somit die Metaebene der Prognose als Aufgabe des Vertragsgestalters im

---

and Faith of Justice Holmes. His Speeches, Essays, Letters, and Judicial Opinions, Boston 1946, 71–89, 75.

36 Näher *Kai-Michael Hingst*, Grundlinien einer pragmatistischen Philosophie des Rechts im Ausgang von Oliver Wendell Holmes, in: Kai-Michael Hingst / Maria Liatsi (Hrsg.), Pragmata. Festschrift für Klaus Oehler zum 80. Geburtstag, Tübingen 2008, 199–215, hier 200, 202 f.

37 Auf die interessante Frage nach dem *Wahrheitswert* von Aussagen über zukünftige Ereignisse (prognostische Aussagen), mit der sich – am Beispiel einer am kommenden Tag stattfindenden Seeschlacht („Morgen findet eine Seeschlacht statt") – bereits Aristoteles beschäftigt hat, kann hier nicht näher eingegangen werden. Vgl. dazu *Dorothea Frede*, Aristoteles und die ‚Seeschlacht'. Das Problem der Contingentia Futura in De Interpretatione 9, Göttingen 1970.

Vertrag repräsentiert, ist die sog. *salvatorische Klausel*.[38] Sie adressiert den Fall der fehlgehenden Prognose in Gestalt der Unwirksamkeit vertraglicher Bestimmungen und soll dafür sorgen, dass der Vertrag im Übrigen möglichst nicht in Mitleidenschaft gezogen wird. Für die Prognose, die der Vertragsgestalter zu stellen hat, kann im Übrigen die Testfrage hilfreich sein, was sich am Regelungsprogramm des Vertrages ändern würde, wenn eine einzelne vertragliche Bestimmung oder Passage, die etwa der gegnerische Anwalt streichen möchte, entfiele: Würden die Gerichte dann eine denkbare Streitfrage anders als gewünscht entscheiden? Wenn diese Frage sicher verneint werden kann, kann auf die fragliche Bestimmung – nicht zuletzt auch im Sinne der Vertragsästhetik – streng genommen verzichtet werden, es sei denn, den Parteien ist an einer expliziten Regelung im Vertragsdokument gelegen.

2. Gelungene Rechtsgutachten

Ein anwaltliches Rechtsgutachten ist eine förmliche Stellungnahme zur Rechtslage im Zusammenhang mit einem konkreten Problem oder Vorhaben des Mandanten. Seine Abfassung erfordert es, diese Rechtslage zu eruieren, und zwar regelmäßig nicht die Rechtslage schlechthin, sondern bezogen und beschränkt auf einzelne Rechtsgebiete und im Lichte bestimmter, für den Mandanten relevanter *Rechtsfragen*.

Typische Fragestellungen für zivilrechtliche Rechtsgutachten können wie folgt lauten: Ist das Vorhaben des Mandanten rechtlich zulässig, d.h. mit den gesetzlichen Anforderungen vereinbar? Setzt das Recht dem wirtschaftlichen Ziel des Mandanten und seinem darauf bezogenen Geschäftsmodell Grenzen? Ist die vorläufige Rechtsauffassung des Mandanten zu einer Thematik, auf die er sich im Vorfeld möglicherweise schon gegenüber dritter Seite berufen hat, wirklich zutreffend? Stehen dem Mandanten – im Status quo oder bei Umsetzung eines ins Auge gefassten Vorhabens – bestimmte Ansprüche gegen einen Dritten zu, oder ist er selbst bestimmten Ansprüchen Dritter ausgesetzt? Sind zur Vermeidung von Sanktionen behördliche Erlaubnisse vonnöten oder jedenfalls Anzeigepflichten zu erfüllen, bevor zur Tat geschritten werden kann?

---

[38] Eine gängige Formulierung lautet: „Sollte eine Bestimmung dieses Vertrages ganz oder teilweise unwirksam oder undurchführbar sein, so werden die Wirksamkeit und Durchführbarkeit aller übrigen Bestimmungen dieses Vertrages davon nicht berührt. Die unwirksame oder undurchführbare Bestimmung ist als durch eine wirksame und durchführbare Bestimmung ersetzt anzusehen, die dem von den Parteien mit der unwirksamen oder undurchführbaren Bestimmung verfolgten wirtschaftlichen Zweck am nächsten kommt. Entsprechendes gilt im Falle einer vertraglichen Lücke." (Siehe etwa *Kai-Michael Hingst*, Muster G 4: „Gesellschafterdarlehen", § 9 Abs. 4, in: Andreas Meyer-Landrut (Hrsg.), Formular-Kommentar GmbH-Recht, 3. Aufl. Köln 2017, 836.)

Um derartige Fragen beantworten zu können, ist der Rechtsanwalt wiederum gefordert, sich im Wege der *Antizipation* eine Meinung zu bilden, wie – im Sinne von Holmes – ein Gericht (oder zunächst eine Verwaltungsbehörde) im Streitfall entscheiden würde. Das Ergebnis seiner Prüfung fällt häufig nicht „schwarz" oder „weiß", sondern „grau" aus, d.h. er gelangt bezüglich der Sicherheit seiner Rechtsauffassung nicht zum Wert von 1 oder 0, sondern lediglich zu verschiedenen *Wahrscheinlichkeitsgraden*. Diese lassen sich, das liegt in der Natur der Rechts und seiner sprachlichen Vermitteltheit, freilich kaum mathematisch quantifizieren (etwa im Sinne einer angebbaren Wahrscheinlichkeit von x % für die Rechtmäßigkeit einer Maßnahme) und werden daher üblicherweise durch bestimmte sprachliche Wendungen artikuliert,[39] die dem Mandanten je nachdem Auskunft darüber geben sollen, wie sicher und belastbar die erarbeitete Rechtsauffassung ist. Diese Wendungen können in einem Kontinuum von völliger Eindeutigkeit (1 oder 0) des Ergebnisses, was bei Fragen, die Gegenstand eines Gutachtens werden, seltener vorkommt, bis zu völliger Ungewissheit, was nicht zufriedenstellend erscheint, verortet werden.

Betrachten wir einige Beispiele, wie *graduelle* Abstufungen bezüglich der Sicherheit und Belastbarkeit von Rechtsausführungen in Rechtsgutachten formuliert werden können. Im Falle der Eindeutigkeit wird das Ergebnis definitiv und unkonditioniert im Indikativ ausgesprochen, z.B. mit den Worten, ein bestimmtes Vorhaben sei „rechtlich zulässig" (oder eben unzulässig) oder unterliege „keinen rechtlichen Bedenken" (oder eben doch) oder ein Schuldner sei zur Zahlung „verpflichtet" (oder eben nicht).[40] Eine erste, noch schwache Relativierung kann erfolgen, indem die Wendung „meines Erachtens" eingeflochten wird, weil sie

---

[39] Um sprachlich umschriebene Wahrscheinlichkeitsgrade handelt es sich auch bei den strafprozessualen Verdachtsgraden: Ein *Anfangsverdacht* in Form „zureichender tatsächlicher Anhaltspunkte" verpflichtet die Staatsanwaltschaft zur Einleitung eines Ermittlungsverfahrens (§ 152 Abs. 2 StPO). Bieten die Ermittlungen „genügenden Anlass" zur Erhebung der öffentlichen Klage, besteht *hinreichender Tatverdacht*, so dass die Staatsanwaltschaft Anklage erhebt (§ 170 Abs. 1 StPO), die wiederum das Gericht, wenn ihm der Angeschuldigte gleichfalls „hinreichend verdächtig" erscheint, durch Eröffnung des Hauptverfahrens zulässt (§ 203 StPO). Sogar *dringenden Tatverdachts* bedarf es für die Anordnung von Untersuchungshaft (§ 112 Abs. 1 Satz 1 StPO). Bei „Überzeugung" des Gerichts von der Schuld des Angeklagten schließlich wird dieser verurteilt (§ 261 StPO), bei verbleibenden vernünftigen Zweifeln hingegen nach dem Grundsatz *in dubio pro reo* freigesprochen.

[40] Einen Sonderfall eines definitiven Rechtsgutachtens bildet die sog. *Legal Opinion*, die als formalisierte schriftliche Stellungnahme einer Anwaltskanzlei im internationalen Rechtsverkehr dem Adressaten dazu dient, bei Transaktionen Sicherheit über die Rechtslage insbesondere einer ihm fremden Rechtsordnung zu erhalten. Kernstück einer *Opinion* sind die sog. *Opinion Statements*, die namentlich in Bezug auf die Rechts- und Geschäftsfähigkeit *(Capacity)* einer Vertragspartei sowie die Wirksamkeit *(Validity)* und Durchsetzbarkeit *(Enforceability)* vertraglich begründeter Verpflichtungen eine definitive Aussage treffen, wobei freilich die

die Subjektivität des Verfassers expliziert. Weitergehend kann eine Rechtsmeinung als „gut vertretbar" oder auch nur als „noch vertretbar" bezeichnet werden. Es kann „einiges dafür" sprechen, dass die besagte Meinung die richtige ist, oder, verbindlicher formuliert, es können dafür „gute Argumente" angeführt werden, je nachdem sogar „bessere Argumente" als für die gegenteilige Auffassung. Der Wahrscheinlichkeitsgrad kann so angegeben werden, dass das Gutachtenergebnis „mit überwiegender Wahrscheinlichkeit" oder sogar „mit weit überwiegender Wahrscheinlichkeit" zutrifft. Ist sich der Gutachter seiner Sache recht sicher, so wird er es bei dem Hinweis belassen, dass „ein geringes Risiko", „ein theoretisches Risiko" oder vielleicht sogar nur „ein rein theoretisches Risiko" oder „Restrisiko" verbleibt, dass eine maßgebliche Instanz (d. h. eine Behörde oder ein Gericht) zu einer anderen Auffassung gelangt. Stehen die Dinge dagegen Spitz auf Knopf, mag das Gutachten die Unsicherheit der Prognose explizieren und zu der Wendung greifen, es lasse sich „nicht sicher vorhersagen" oder womöglich gar „nicht vorhersagen", wie ein Gericht entscheiden würde, wenn es über die Rechtsfrage in einem Streitfall zu befinden hätte. Auch eine Relativierung nach dem Informationsstand ist möglich, indem das Ergebnis „nach den (bislang) vorliegenden Informationen" oder „nach gegenwärtigem Stand" gefunden wird.

Eine wichtige Ausprägung der Vorhersagefähigkeit und häufig das verlässlichste Instrument erfahrener Juristen ist das sog. *Judiz*, verstanden als das Vermögen, noch ohne eingehende juristische Analyse und ohne Einsatz des rechtsbegrifflichen Instrumentariums in etwa abzuschätzen, wie eine Rechtsfrage zu beurteilen sein wird.[41] Ein gutes (anwaltliches) Judiz ist die (erfahrungsgesättigte) Treffsicherheit bei der Prognose von Rechtsfolgen, d. h. bei der Erkenntnis des Rechts,[42] und kann somit als (intuitive) Vorhersage in Abbreviatur den Ausgangspunkt für die Ausarbeitung eines Gutachtens bilden.

Je nach eigener Risikoneigung und abhängig von der wirtschaftlichen Relevanz einer verbleibenden Unsicherheit bei der gutachterlichen Prognose kann sich der Mandant dann entschließen, eine Entscheidung unter Unsicherheit zu treffen und ein bestimmtes kalkuliertes Risiko bei der Umsetzung seines Vorhabens in Kauf zu nehmen – oder aber die Unsicherheit zu beseitigen: sei es durch

---

rechtliche Reichweite einer *Opinion* üblicherweise durch bestimmte Annahmen *(Assumptions)* und Einschränkungen *(Qualifications)* beschränkt wird.

[41] Vgl. *Hingst*, Grundlinien (Fn. 36), 213; eingehend *Rolf Gröschner*, Judiz – was ist das und wie läßt es sich erlernen?, JZ 1987, 903–908, der das Judiz, ein „spezifisch juristisches Urteilsvermögen", näherungsweise als „Fähigkeit zu einem professionellen Vor-Urteil" in einem „nicht pejorativen […] Sinne" bezeichnet (904), „das den methodologischen Status eines Wahrscheinlichkeits-Urteils über den Ausgang eines Dialogs hat" (906 und passim).

[42] *Hingst*, Grundlinien (Fn. 36), 213.

Modifizierung seines Projekts, sei es durch behördliche Abklärung von dessen Zulässigkeit wie z. B. durch die Einholung einer verbindlichen Auskunft bei den Finanzbehörden (§ 89 Abs. 2 AO), wenn es um steuerliche Fragen geht, oder eines sog. Negativattests bei der Bundesanstalt für Finanzdienstleistungsaufsicht (BaFin), wenn sich in Zweifelsfällen die Frage der Erlaubnisbedürftigkeit eines bestimmten Vorhabens im Finanzbereich stellt (§ 4 KWG, § 4 Abs. 4 ZAG). Es wird Teil eines gelungenen Gutachtens sein, entsprechende Optionen der Risikominimierung und -vermeidung aufzuzeigen.

V. Fazit

Ein Rechtsanwalt ist ein *Vorhersagekünstler*, der – unter Zugrundelegung anwaltlicher Standards – zu antizipieren versucht, welche juristische Perspektive auf einen Sachverhalt, der kaum je einfach nur gegeben oder vorgegeben, sondern zumeist form- und gestaltbar ist, sich bei einer späteren rechtlichen Würdigung und, wenn sich unter der Beteiligten kein Konsens erzielen lassen sollte, in einem gerichtlichen Verfahren letztlich durchsetzen würde. Bei der jeweiligen Vorhersage kann ihm das methodisch eingesetzte Instrument des *Perspektivenwechsels* dazu dienen, den Sachverhalt immer wieder auch aus gegenläufiger Perspektive zu betrachten und auf diese Weise – als *advocatus diaboli* in eigener Sache – seine Sichtweise zu überprüfen und zu schärfen. Die antizipative Dimension, die für die Ästhetik anwaltlicher Erkenntnis charakteristisch ist, zeigt sich insbesondere dann, wenn ein Rechtsanwalt Verträge gestaltet oder Rechtsgutachten erstellt.

Für die Zwecke dieser Abhandlung kann dabei offenbleiben, ob das weitgehende Diktum Nietzsches, das *Dasein* und die Welt erscheine „nur als ein aesthetisches Phänomen […] gerechtfertigt“,[43] in dieser Allgemeinheit und im Gesamtzusammenhang des Lebens zutrifft. Man wird wohl auch nicht so weit gehen müssen, dass die *anwaltliche Erkenntnis* nur als ein solches Phänomen *gerechtfertigt* werden könne. Sehr wohl kann – und muss – sie aber als ein ästhetisches Phänomen *gedeutet* werden.

---

[43] *Nietzsche*, Die Geburt der Tragödie aus dem Geiste der Musik (1872), Kritische Studienausgabe (Fn. 29), Bd. 1, 152; vgl. 47 und 17.

Die Befriedung von Krisengebieten durch das Recht

Einige Gedanken zu den Bedingungen gelingender Verfassunggebung in Zeiten des Aufruhrs

Eva Maria Belser

I. Einleitung

Das Tagungsthema des Deutschen Juristen-Fakultätentages „Gelingendes Recht – Über die ästhetische Dimension des Rechts" stellt eine Verbindung her zwischen der ästhetischen Dimension des Rechts und dem Gelingen des Rechts. Mit dieser Themenwahl könnte nahegelegt werden, dass Recht nur gelingt, wenn es schön ist und nicht durch hässliche Formen, unverständliche Texte und verschrobene Urteile alle abschreckt, die sich mit dem Guten und seiner Sicherung in der Gesellschaft auseinandersetzen möchten. Es könnte aber auch nahegelegt werden, dass im Recht eine untrennbare Verbindung zwischen dem Schönen und dem Guten besteht und beides befördert wird, wenn beides angestrebt wird. Hinter der besonderen Verbindung von Recht und Ästhetik verbirgt sich dann nicht nur die Frage nach dem schönen, sondern auch jene nach dem guten Recht und nach den Bedingungen, die erfüllt sein müssen, damit Recht gelingt, schön und gut ist und zum Wohlbefinden der Menschen und der Welt beiträgt. Diese Tagung wirft aber noch allgemeinere und grundsätzlichere Fragen auf, nämlich jene nach der Wahrnehmung des Rechts. Drei Facetten der Wahrnehmung sollen dabei zur Sprache kommen und dabei helfen, Antworten auf die Frage nach dem Gelingen des Rechts zu finden: Die Wahrnehmung des Rechts durch „den Rest der Welt", der Blick des Rechts auf „den Rest der Welt" und die Art und Weise, wie das Recht – und wohl auch die mit dem Recht beschäftigten Juristinnen und Juristen – sich selber wahrnehmen.

Der vorliegende Beitrag befasst sich mit der Wahrnehmung des Rechts und der Welt, wenn es um die Befriedung von Kriegsgebieten geht, und fragt nach den Bedingungen, die erfüllt sein müssen, damit inmitten von Konflikten ein Prozess der Verfassunggebung gelingen kann, der den Frieden wiederherstellt.

Er wirft die – durchaus ästhetische – Frage auf, was es denn braucht, damit der Lärm der Gewalt der Musik des Rechts weicht und das Chaos jener Ordnung, die Menschen brauchen, um sich sicher und frei zu fühlen. Der Beitrag verzichtet dabei auf eine wissenschaftliche Auseinandersetzung mit dem gegenwärtigen Stand der Konfliktbeilegungs-, der Friedens- und der Verfassungsforschung[1] und beschränkt sich darauf, einige Gedanken zu den Bedingungen gelingender Verfassunggebung in Zeiten des Aufruhrs zu äussern. Er befasst sich mit der Frage, wie Menschen, die sich Krisen und Konflikten ausgesetzt sehen, das Verfassungsrecht oder die Aussicht auf eine neue Verfassung wahrnehmen, wie das Recht selbst auf seinen eigenen Zusammenbruch reagiert und wie sich das Versagen oder Gelingen verfassungsrechtlicher Regeln auf das Bild auswirken, das sich das Recht und seine Zunft von sich selbst machen. Die Ausführungen stützen sich – ganz im Sinne des Tagungsthemas – auf Wahrnehmungen. Sie beruhen auf Beobachtungen und Einschätzungen von Verfassunggebungsprozessen in Zeiten von Brüchen und Umbrüchen, die ich während des letzten Jahrzehnts aus grösserer oder kleinerer Distanz habe verfolgen und begleiten können. Der Beitrag soll mit anderen Worten einen anekdotischen Einblick in die Praxis der Verfassunggebung in Gebieten und Zeiten der Krise erlauben und würde falsch verstanden, sollte er als irgendetwas anderes wahrgenommen werden.

Zu Beginn möchte ich kurz auf die Frage eingehen, ob Menschen, die schwere Krisen erleben und erleiden, die den Zusammenbruch der Rechtsordnung und den Ausbruch der Gewalt hautnah erfahren, sich überhaupt für Verfassungen interessieren, ob es – nach ihrer Wahrnehmung – auf das Recht überhaupt ankommt (II). Bevor ich mich der Frage zuwende, welche Bedingungen erfüllt sein müssen, damit inmitten einer Krise eine Verfassung geschaffen werden kann, die den Konflikt beilegt und Frieden und Wohlfahrt für alle verspricht (V–VII), möchte ich sodann auf die Zusammenhänge zwischen Prozessen der Verfassunggebung und der Wiederherstellung des Friedens eingehen (III) und Erkenntnisse für das Gelingen des Rechts aus Erfahrungen des Misslingens zu erlangen versuchen (IV). Schliessen möchte ich mit der Feststellung, dass Verfassungstexte oft einer ganz besonderen Ästhetik folgen und nicht selten gerade dann als nützlich und

[1] Vgl. etwa *Michele Brandt / Jill Cottrell / Yash Ghai / Anthony Regan*, Constitution-making and Reform: Options for the Process, Interpeace 2011, verfügbar auf https://www.interpeace.org/resource/constitution-making-and-reform-options-for-the-process-2/ (7.12.2018); The Public International Law & Policy Group, Post-Conflict Constitution Drafter's Handbook, 2007, verfügbar auf https://peacemaker.un.org/sites/peacemaker.un.org/files/PostConflictConstitutionDraftersHandbook_PILPG2007.pdf (7.12.2018); *Jamal Benomar*, Constitution-Making and Peace Building: Lessons Learned From the Constitution-Making Processes of Post-Conflict Countries, UNDP 2003, je mit zahlreichen weiterführenden Hinweisen.

wirksam wahrgenommen werden, wenn sie auf den ersten Blick weder als schön noch als lesenswert, sondern als sperrig und kompliziert erscheinen (VIII).

II. *Constitutions Matter*

Nach meinen eigenen Beobachtungen nehmen viele Menschen Prozesse der Verfassunggebung erstaunlich ernst. Auch wenn die rechtliche Ordnung zusammengebrochen ist – oder gerade dann – bringen Menschen und Institutionen oft zum Ausdruck, dass es auf das Recht und auf die Verfassung, die an der Spitze der Rechtsordnung steht, durchaus ankommt. Sie erachten Verfassunggebungsprozesse in aller Regel nicht als nutzlose, abgehobene Prozesse, von denen sich kein wirksamer Beitrag zu Frieden und Wohlergehen erhoffen lässt. Im Gegenteil erwarten oft Menschen unterschiedlichen Alters und Geschlechts, unterschiedlicher Herkunft und politischer Couleur von der Verfassung und damit vom Recht, dass es Krisen beilegt, den Frieden wiederherstellt und neue, bessere Verhältnisse schafft. Oft fordern oppositionelle und revolutionäre Kräfte, separatistische Gruppen und andere Konfliktparteien sogar genau das: dass eine neue Verfassung geschaffen und das Zusammenleben im Staat auf eine neue, gerechtere Grundlage gestellt wird.

Ihre Wahrnehmung stimmt meist mit jener Außenstehender überein. In der Resolution 2254 haben sich die Mitglieder des UN-Sicherheitsrats im Jahre 2015 beispielsweise darauf geeinigt, dass der Weg zum Frieden in Syrien über eine neue Verfassung führt.[2] Dies bedeutet auch deshalb viel, weil sich die Mitglieder des UN-Sicherheitsrats selten auf etwas einigen, schon gar nicht, wenn es um Syrien geht. Nach dem Beschluss soll in Syrien nicht nur ein Waffenstillstand hergestellt, sondern eine politische Lösung gefunden werden, die ihren Niederschlag in einer neuen Verfassung finden und der Demokratisierung des Landes den Weg bereiten soll. Der Sicherheitsrat stellt damit klar, dass die nachhaltige Beilegung des nun schon über sieben Jahre dauernden, verheerenden Kriegs eine neue Verfassung erfordert, die sich der Ursachen des Konflikts annimmt. Erst gestützt auf die neu festgelegten Grundlagen des syrischen Staats sollen Wahlen durchgeführt und neue demokratisch legitimierte Behörden eingesetzt werden. Angesichts der Tatsache, dass der Krieg in Syrien Merkmale früherer Stellvertreterkriege aufweist, scheint auch die Aussage bedeutsam, dass der Prozess in den Händen der syrischen Bevölkerung liegen soll: „The Syrian people will decide the future of Syria."

---

[2] Vereinte Nationen, Sicherheitsrat, Resolution 2254 (2015), verfügbar auf http://www.un.org/Depts/german/sr/sr_15/sr2254.pdf (7.12.2018).

Auch wenn viele Menschen in Syrien und im Exil aus guten Gründen das Regime gern sofort beseitigt sähen, so stehen sie gleichzeitig doch auch hinter der Idee der Verfassungsrevision und deren Dringlichkeit. Obwohl sie voller Sorgen aller Art sind, widmen sich zuhause verharrende, im Land vertriebene, in der Türkei oder anderswo gestrandete, sich irgendwo im Westen integrierende Frauen und Männer mit unerschöpflicher Motivation und eindrücklicher Energie verfassungsrechtlichen Fragen. Wenn sich unser Beratungsteam mit Politikerinnen und Politikern der Opposition, Aktivistinnen und Aktivisten sowie Vertreterinnen und Vertretern der Minderheiten und der Zivilgesellschaft aus Syrien trifft, um Grundsätze für ein neues und friedliches Syrien zu diskutieren, nehmen viele Teilnehmerinnen und Teilnehmer unglaubliche Strapazen auf sich, um an den Arbeitsgesprächen teilzunehmen. Viele riskieren Ärger aller Art, Verunglimpfungen und Verhaftungen, wenn sie zu Verfassungsworkshops reisen. Nicht wenige werden über die Grenzen geschmuggelt, weil sie keine gültigen Papiere (mehr) haben und auch keine erhalten können. Sie kommen nachts, oft zu Fuss oder zu Pferde, über die Grenze und wissen nicht, ob Reise oder Rückreise gelingen und welchen Gefahren sie sich und ihre Familien aussetzen. Wenn Diskussionen und Verhandlungen online übertragen werden, folgen Tausende stunden- und tagelang den Debatten, obwohl sie sich mitten im Krisengebiet befinden und mit dem täglichen Überleben beschäftigt sind. Die Ideen, die für eine zukünftige Verfassung entstehen, werden tausendfach geliket und getwittert. Besonders beeindruckt bin ich oft von Menschen, die vor dem Konflikt keinen besonderen Bezug zum Recht oder Verfassungsrecht hatten: Ingenieure, Sprachwissenschaftlerinnen, Fischer, Professoren und Lehrerinnen, die sich mit grösster Ernsthaftigkeit und unermüdlicher Ausdauer mit den Vor- und Nachteilen verschiedener Arten von Föderalismus und Dezentralisierung beschäftigen und die die Unterschiede zwischen parlamentarischen und präsidentiellen Regierungsformen und die Mischformen zwischen beiden genau verstehen wollen, um die beste verfassungsrechtliche Lösung für ihr Land finden zu können.[3]

In Tunesien, dem einzigen Land, in dem sich der arabische Frühling nicht allzu bald in einen düsteren Herbst verwandelt hat, haben die Menschen in den Jahren 2011 und 2014 die neuen Verfassungen überschwänglich gefeiert. Sie sind, den Text der Verfassung hoch über ihren Köpfen tragend, durch die Strassen Tunis' und anderer Städte gezogen, haben gesungen und sind sich jubelnd in die Arme gefallen. Die neue Verfassung sieht unter anderem gleiche Rechte für Frauen und Männer vor und hält fest, dass im Parlament gleich viele Frauen wie Männer vertreten sind – es waren denn auch besonders viele Frauen, die die Er-

---

[3] Vgl. für weitere Hinweise „Power Sharing für ein geeintes Syrien“, verfügbar auf http://power-sharing-syria.org/?lang=de (7.12.2018).

gebnisse der Verfassunggebungsprozesse enthusiastisch begrüsst haben.[4] Und sie hatten allen Grund, die Verfassung als nützliches Instrument der Gleichstellung wahrzunehmen. Im Jahre 2017 entschied das Parlament nämlich, für Frauen die gleichen Erbrechte wie für Männer vorzusehen – „eine Ungeheuerlichkeit in der arabischen Welt", wie Medien berichteten.[5]

Von Nepal berichteten mir verschiedene ehemalige Guerillakämpferinnen und -kämpfer, dass sie für eine neue Verfassung in den Krieg gezogen und bereit gewesen seien, für eine föderale Verfassung ihr Blut zu vergiessen. Weil so viele im Kampf für eine gerechte Verfassung ihr Leben verloren hätten, würden sie sich nun – schon aus Respekt vor den Toten und deren Anliegen – mit gleicher Energie der Umsetzung der neuen föderalen Verfassungsordnung widmen. In Äthiopien wurde mir vor kurzem an einer Konferenz, die sich mit der aktuellen Sicherheitskrise und den Konflikten, die namentlich die Bevölkerungsgruppen der Oromo und Amharen von den Tigray entzweien, von einem älteren Politiker beschieden, dass die äthiopische Verfassung ein Dokument sei, vor dem man sich verbeugen müsse, denn sie sei mit dem Blut all jener geschrieben, die für ein friedliches und gerechtes Äthiopien ihr Leben gegeben hätten. Ein solches Dokument dürfe nicht leichtfertig den Launen der politischen Auseinandersetzungen überlassen werden, sondern sei als Garant des Friedens mit grösster Sorgfalt zu behandeln. Die äthiopische Verfassung aus dem Jahre 1995 hat mit der Einführung eines ethnischen Föderalismus zwar Frieden zwischen den über achtzig Volksgruppen des Landes geschaffen, weist aber im Bereich des Menschen- und Minderheitenschutzes immer weniger übersehbare Mängel auf, die der Nachbesserung bedürfen. Es bleibt deshalb zu hoffen, dass die neue Führung unter dem Premierminister Abiy Ahmed nicht nur den Friedensschluss mit Eritrea zügig vorantreibt, sondern sich – mit allem gebotenen Respekt vor dem Friedensdokument – auch einer Verfassungsrevision annimmt.

Im neuen Südafrika, das mit der Schaffung einer Übergangsverfassung und einer neuen, auf Gleichheit beruhenden Transformationsverfassung aus der Taufe gehoben worden war, war die Verfassung ein so beliebtes Dokument, dass der Text nicht nur in elf Sprachen gedruckt und verteilt wurde, sondern auch ein Büchlein im Taschenformat hergestellt wurde, damit die Menschen ihre Verfassung immer mit sich tragen konnten. Auch wenn die Verfassung seit einiger Zeit

---

[4] Vgl. *Nanako Tamaru / Olivia Holt-Ivry / Marie O'Reilly*, Beyond Revolution: How Women Influenced Constitution Making in Tunisia, Case Study, 2018, verfügbar auf: https://www.inclusivesecurity.org/wp-content/uploads/2018/03/Beyond-Revolution_Constitution-Making-in-Tunisia.pdf (7.12.2018).

[5] „Erbrecht für Frauen in Tunesien, Eine Ungeheuerlichkeit", taz, 18.8.2017; vgl. auch *Miriam Benhadid*, „Frauenrechte in Tunesien: Ein arabisches Vorbild", Frankfurter Allgemeine Zeitung vom 24.11.2017.

unter Beschuss steht – vor allem, weil die Eigentumsgarantie nach Wahrnehmung einiger empörter und Empörung schürender Mitglieder der Jugendliga des *African National Congress* einer schlagkräftigen Landreform entgegenstehe –, so ist sie doch ein Dokument, das Südafrikanerinnen und Südafrikaner jeder Couleur mit Stolz erfüllt.

In seinem neuen Buch „Why law matters“ weist Alon Harel auf die enorme Bedeutung des Rechts hin und kritisiert, dass die geläufigen Rechtfertigungen für politische Institutionen und rechtliche Verfahren in die Irre führten, weil sie dem besonderen Wert und dem „popular appeal“, also der allgemeinen Beliebtheit des Rechts, zu wenig Rechnung trügen.[6] Recht spielt eine Rolle, und die Erwartungen an das Recht als Friedensstifter und Problemlöser sind hoch. Zweifellos spielen Verfassungen dabei eine besonders wichtige Rolle, denn sie ziehen die Grenze zwischen Recht und Politik und entscheiden, wer Zugang zu staatlicher Macht hat und das Recht hat, Recht zu schaffen und durchzusetzen.[7]

III. Konfliktbeilegung durch Verfassunggebung

Verschiedene Studien belegen, dass die Zahl gewalttätiger Konflikte weltweit steigt und dass die weitaus grösste Zahl der Konflikte innerhalb von Landesgrenzen ausgetragen wird.[8] Bei den Krisen und Konflikten, die am längsten dauern und den grössten Schaden anrichten, handelt es sich um Bürgerkriege. Es geht bei ihnen stets um den Staat und darum, wer in ihm das Sagen haben soll. Auslöser gewalttätiger Auseinandersetzungen ist oft eine tiefe Unzufriedenheit über die Art und Weise, wie staatliche Herrschaft ausgeübt wird, und das Ziel mindestens einer Konfliktpartei ist regelmässig, den Staat neu zu begründen, seine Macht zu bändigen, mit einer Geschichte von Autokratie und Machtmissbrauch zu brechen und eine neue Ordnung zu schaffen, die die Macht und die Ressourcen des Staats fair teilt und allen die Möglichkeit gibt, am Staat teilzuhaben. Aufständische und Oppositionelle verlangen deshalb, dass die Grundlagen des Staats neu diskutiert werden und sind nur unter dieser Voraussetzung bereit, auf Gewalt zu verzichten und über den Frieden zu verhandeln. Vergleichende Studien belegen, dass die

---

[6] *Alon Harel*, Why Law Matters, Oxford 2014.

[7] Vgl. dazu *Alon Harel*, Why (Constitutional) Law Matters: A Reply to Lorenzo Zucca, International Journal of Constitutional Law 2015, 311 ff.

[8] Vgl. z.B. *Lars-Erik Cederman / Kristian Skrede Gleditsch / Halvard Buhaug*, Inequality, Grievances and Civil War, Cambridge 2013, 57 ff.; *Aurel Croissant / Uwe Wagschal / Nicolas Schwank / Christoph Trinn*, Kulturelle Konflikte seit 1945: Die kulturelle Dimension des globalen Konfliktgeschehens, München 2009, sowie Konfliktbaromter 2017, verfügbar auf https://hiik.de/konfliktbarometer/aktuelle-ausgabe/ (7.12.2018).

wenigsten der innerstaatlichen Konflikte militärisch beigelegt werden. In mehr als zwei Drittel aller Fälle sind es vielmehr Friedensverhandlungen, die das Land stabilisieren oder dem gewalttätigen Konflikt zumindest vorübergehend ein Ende setzen.[9]

Selbstverständlich gibt es gerade auch in Krisengebieten Stimmen, die geltend machen, auf das Recht komme es nicht an. Es gibt Parteien, die auf militärische oder polizeiliche Lösungen setzen oder aus anderen Gründen überzeugt sind, die Krise müsse anderweitig beigelegt werden. Es gibt auch Menschen, die von einer Verfassung nichts oder nur sehr wenig erwarten, weil sie schon zu oft erlebt haben, dass neue Normen toter Buchstabe geblieben sind. Solche Haltungen werden hin und wieder auch von außenstehenden Personen und Institutionen geäussert, die den Konflikt von außen begleiten, an ihm beteiligt sind, von ihm profitieren oder wegen seiner Hartnäckigkeit die Hoffnung auf eine Beilegung des Konflikts durch das Recht verloren haben. Gerade bei landesinternen Konflikten sind die Stimmen, die auf eine neue Verfassung und damit auf das Recht setzen, jedoch meist mehr verbreitet, wenn auch leider nicht unbedingt immer lauter.

Friedenshandlungen sind deshalb heute oft eng mit Verfassunggebungsprozessen verflochten. Meist ist nämlich mindestens eine der kriegführenden Parteien nur bereit, die Waffen niederzulegen und sich an den Verhandlungstisch zu setzen und den Lärm der Gewalt durch die Sprache des Rechts zu ersetzen, wenn die Ursachen des Konflikts angegangen werden und die gegenwärtigen Machthaber verbindlich versprechen – das heisst in einer neuen Verfassung zusichern –, mit der Geschichte der Unterdrückung, Ausbeutung und Marginalisierung bestimmter Gruppen oder Regionen des Landes zu brechen und eine neue, gerechtere staatliche Ordnung aufzubauen. Häufig gibt es mindestens eine Partei, die einen besseren Zugang zur staatlichen Macht und eine fairere Verteilung der Ressourcen fordert und die verlangt, dass die Beschränkung und Teilung der Macht in der zukünftigen Verfassung gesichert wird. Föderalismus und andere Formen der vertikalen Gewaltenteilung stehen deshalb oft weit oben auf der Traktandenliste, wenn es um die Beilegung der Gewalt und die Schaffung einer Friedensordnung geht.[10]

Friedensprozesse und Verfassunggebungsprozesse sind manchmal so eng miteinander verknüpft, dass sie sich kaum noch auseinanderhalten lassen. Gruppen,

---

[9] Z.B. *Lars-Erik Cederman / Kristian Skrede Gleditsch / Halvard Buhaug*, Inequality, Grievances and Civil War, Cambridge 2013, 171 ff.

[10] Vgl. zum Ganzen z.B. *Dawn Brancati*, Peace by Design, Managing Intrastate Conflict through Decentralization, Oxford 2009; Nils A. Butenschøn, Øyvind Stiansen, Kåre Vollan (Hrsg.), Power-Sharing in Conflict-Ridden Societies, Challenges for Building Peace and Democratic Stability, Ashgate 2015; *Christine Bell*, On the Law of Peace, Peace Agreements and the Lex Pacificatoria, Oxford 2011, 199 ff.

die zu den Waffen gegriffen haben, um sich gegen staatliche Gewalt aufzulehnen oder Autonomie für ihre Region oder wirksamen Schutz für ihre Kultur, Religion oder Sprache zu erreichen, legen diese oft erst nieder, wenn zumindest die Prinzipien einer zukünftigen Verfassung verbindlich festgelegt, eine provisorische Verfassung verabschiedet oder eine definitive Verfassung geschaffen oder den herrschenden Machthabern aufgezwungen wurde. Besonders deutlich hat sich die enge Verschränkung von Frieden und Verfassung gezeigt, als der föderale Staat Bosnien-Herzegowinas aus der Taufe gehoben wurde. Die Verfassung war nämlich das Ergebnis internationaler Friedensverhandlungen und bildete integralen Bestandteil des Friedensabkommens, das im Jahre 1995 in Dayton abgeschlossen und in Paris unterzeichnet worden war. Die Verfassung, die seit mehr als zwanzig Jahren das Fundament der – auch heute noch fragilen – Föderation Bosnien und Herzegowina bildet, findet sich in den zivilen Anhängen des Dayton-Übereinkommens. Der enge Zusammenhang zwischen Friedensschluss und neuer Verfassung zeigte sich auch daran, dass zwei Resolutionen des UN-Sicherheitsrats einen Tag nach der Paraphierung des Abkommens das Ende des Waffenembargos und die Aussetzung der Wirtschaftssanktionen gegen Jugoslawien ankündigten. Einen Monat später verabschiedete der UN-Sicherheitsrat die Resolution 1031, die die Grundlage für die militärische Umsetzung aller im Abkommen getroffenen Vereinbarungen durch die *Peace Implementation Forces* (IFOR) bildete. Die Verfassung Bosnien-Herzegowinas, deren Schutz die IFOR garantiert, ist Bestandteil der Friedensverträge, die unter anderem von Jacques Chirac, Bill Clinton und Helmut Kohl unterzeichnet wurden, und oszilliert bis heute auf wenig verstandene Weise zwischen Völker- und Landesrecht.[11]

Die neue Friedensforschung und -praxis ist seit längerem von der Vorstellung abgekommen, Friedensprozesse zu etappieren und militärische Fragen säuberlich von rechtlichen Fragen zu trennen, zuerst einen Waffenstillstand zu vereinbaren, dann Wahlen durchzuführen, und schliesslich, wenn die Stabilität wiederhergestellt und legitime Organe bestehen, mit den Gesprächen über eine neue Verfassung einzusetzen. Verfassungsverhandlungen finden heute immer öfter statt, während noch gekämpft wird, weil verschiedene Kriegsparteien erst dann zum Frieden – oder zumindest zur Suspendierung militärischer Aktionen – bereit sind, wenn Verfassungsverhandlungen stattfinden, die berechtigte Hoffnungen auf eine bessere Zukunft erwecken.[12]

---

[11] Vgl. zum Ganzen Christian Steiner / Nedim Ademović (Hrsg.), Verfassung von Bosnien und Herzegowina, Kommentar, Sarajewo 2012 (https://www.kas.de/c/document_library/get_file?uuid=ee8ffb78-8be0-3f29-9956-6c7c464d8716&groupId=252038 (7.12.2018)), sowie *Sören Keil*, Multinational Federalism in Bosnia and Herzegovina, Ashgate 2013.

[12] Vgl. zum Ganzen *Christine Bell*, On the Law of Peace, Peace Agreements and the Lex Pacificatoria, Oxford 2011, 27 ff.

Diese Entwicklung verändert die Wahrnehmung der Verfassunggebung. Die neue Verfassung ist kein Dokument, das verschrobene Juristinnen und Juristen hinter verschlossenen Türen aushecken, sondern Teil einer neuen Friedensordnung und mit der Erwartung verbunden, mit vergangenem Unrecht zu brechen und den Weg für ein gerechteres Zusammenleben zu bahnen. Ihre Ausarbeitung erfolgt oft im schrillen Licht der Öffentlichkeit und vor dem Lärm gewalttätiger Auseinandersetzungen. Unter welchen Voraussetzungen kann ein solcher Prozess gelingen, an dessen Ende ein Dokument stehen soll, das gleichzeitig einen einstimmig beschlossenen Friedensvertrag darstellt, dem alle Konfliktparteien sowie – nicht selten – intervenierende oder besonders interessierte Drittstaaten zustimmen, und ein demokratisch legitimiertes Grundgesetz, das die Geschicke des Staats in neue Bahnen lenkt?

IV. Misslingende Verfassunggebung

Es ist kaum möglich, die Bedingungen gelingender Verfassunggebung allgemein festzuhalten.[13] Da jeder Konflikt seine eigenen Ursachen und Dynamiken ausweist, die stets tief im jeweiligen Kontext verwurzelt sind, muss auch jeder Verfassunggebungsprozess andere Bedingungen erfüllen und ist dann erfolgversprechend, wenn maßgeschneiderte Vorgehensweisen und Lösungen gefunden werden. Schon die Frage, wer an den Verhandlungen zu beteiligen ist, lässt sich nur mit Bezug auf einen bestimmten Kontext beantworten. Selbstverständlich soll der Verfassungsprozess möglichst partizipativ und inklusiv sein, allen Bürgerinnen und Bürgern die Mitwirkung ermöglichen, Frauen angemessen zu Wort kommen lassen, die Prioritäten von Minderheiten beachten und auf vulnerable Bevölkerungsgruppen Rücksicht nehmen.[14] Die Krisensituationen setzen der Erfüllung dieser Ansprüche aber oft Grenzen. Zum einen erschweren die prekäre Sicherheitslage, Flucht und Vertreibung sowie Zerstörungen der Infrastruktur ein Zusammentreffen jener Menschen, für die die Verfassung in Zukunft gelten soll. Die bestehenden Behörden und Strukturen haben in der Regel ihre Legitimation

[13] Vgl. *Tom Ginsburg / Zachary Elkins / Justin Blount*, Does the Process of Constitution-Making Matter?, in: Sujit Choudry / Tom Ginsburg (Hrsg.), Constitution Making, Cheltenham/Northampton 2016, 273 ff.

[14] Vgl. *Yash Ghai / Guido Galli*, Constitution-building Processes and Democratization: Lessons Learned, in: Sujit Choudry / Tom Ginsburg (Hrsg.), Constitution Making, Cheltenham/Northampton 2016, 149 ff.; *Vivien Hart*, Democratic Constitution Making, in: Sujit Choudry / Tom Ginsburg (Hrsg.), Constitution Making, Cheltenham/Northampton 2016, 261 ff. sowie *Nanako Tamaru / Marie O'Reilly*, A Women's Guide to Constitution Making, 2018, verfügbar auf: https://www.inclusivesecurity.org/wp-content/uploads/2018/02/Womens-Guide-to-Constitution-Making.pdf. (7.12.2018).

verloren oder sind zerfallen. Gleichzeitig ist es oft nicht möglich, neue, demokratisch legitimierte Vertreterinnen und Vertreter zu bestellen, da die Umstände die Durchführung freier und fairer Wahlen verunmöglichen; neben Parteien, die frei agieren, und Medien, die einen Wahlkampf kritisch begleiten können, fehlt es nicht selten schon an verlässlichen Wahlregistern und anderen Voraussetzungen, die für echte politische Mitbestimmung unerlässlich sind. Zum andern setzt ein erfolgversprechender Friedensprozess voraus, dass all jene Gruppen daran beteiligt sind, die den Frieden wirksam torpedieren könnten, wenn sie außen vor gelassen würden. Das sind nach Gewalteskalationen all jene Gruppen, die bewaffnet sind, Territorien unter ihrer Kontrolle haben oder aus anderen Gründen die Möglichkeit haben, als Spoiler die Beilegung des Konflikts zu verhindern. Es ist mit anderen Worten ein ständiges Abwägen erfordert zwischen dem, was aus demokratischen und rechtsstaatlichen Gründen erwünscht und erfordert ist, und der Dringlichkeit, der Gewalt möglichst schnell und möglichst wirksam ein Ende zu setzen. Vom jeweiligen Kontext abhängig ist auch die Frage, ob Drittstaaten, die sich militärisch, logistisch oder finanziell in den Konflikt eingemischt haben oder besondere Interessen an dessen Beilegung haben, beispielsweise weil sie eine große Zahl Vertriebener beherbergen, in den Friedens- und Verfassunggebungsprozess miteinbezogen werden sollen und falls ja wie.[15]

Zu den Bedingungen, die nach meinem Dafürhalten stets eine Rolle spielen, gehören die notwendige Zeit, der erforderliche Druck und genügend zahlreiche und intensive zwischenmenschliche Begegnungen. Jedenfalls missrät der Verfassunggebungsprozess, wenn diese Bedingungen nicht erfüllt sind. Mir scheint, dass der Verfassungsprozess Iraks besonders deutlich illustriert, dass ohne Zeit, ohne Druck und ohne Begegnung keine nachhaltige Friedensordnung geschaffen werden kann. Für das Aushandeln der Verfassung standen damals nur wenige Monate zur Verfügung; eine Zeit, die nicht ausreichte, um in Bezug auf wichtige politische Fragen wie etwa die Ausgestaltung der zweiten Parlamentskammer, die Einsetzung des Verfassungsgerichts oder die Verteilung der Ölressourcen eine Einigung zu erzielen – und die deshalb einfach offengelassen wurden und später zu neuen oder zu einem Wiederaufleben alter Konflikte führten. Besonders schädlich hat sich dabei wohl ausgewirkt, dass der enge Zeitplan weniger einem Bedürfnis der irakischen Bevölkerung oder der Verfassungskommission entsprang, sondern im Wesentlichen den US-amerikanischen Wahlterminen verpflichtet war. Die kurze Frist war von den USA vorgegeben worden, weil die

---

[15] Vgl. zum Ganzen *Nina Caspersen*, Peace Agreements, Cambridge 2017; *Hanna Lerner*, Constitution-writing in Deeply Divided Societies: The Incrementalist Approach, in: Sujit Choudry / Tom Ginsburg (Hrsg.), Constitution Making, Cheltenham/Northampton 2016, 238 ff., sowie *Andrew Arato*, Post Sovereign Constitution Making, Learning and Legitimacy, Oxford 2016.

Bush-Administration nach der militärischen Intervention, die entgegen den Versprechungen weder zur Beseitigung von Massenvernichtungswaffen noch zur Schwächung der Al-Qaida geführt hatte, an der Heimfront unter beträchtlichen Druck geraten war und dem eigenen Volk vor den Präsidentschaftswahlen eine neue irakische Verfassung und damit einen Beweis für die erfolgreiche Demokratisierung des Landes vorweisen wollte.[16]

Um eine tragfähige Einigung zu erzielen, hätte es auch einigen Drucks bedurft. Wer die Macht hat, tritt sie erfahrungsgemäss selten freiwillig ab. In England und anderswo, wo sich der Verfassungsstaat als Instrument zur Bändigung staatlicher Macht etablierte, waren es stets wütende Aristokraten, aufständische Bauern oder enttäuschte und aufrührerische Bürgerinnen und Bürger, die nach Belieben herrschenden Monarchen Zugeständnisse abrangen und sie zwangen, ihre Unterschrift unter Dokumente zu setzen, die ihrer Machtausübung Grenzen setzten. Im Falle des irakischen Verfassungprozesses war dieser Druck auf die Mächtigen, Schranken ihrer Macht zu akzeptieren und politische Antworten auf politische Fragen zu erlangen, kaum vorhanden. Trotz einer neuen Verfassung fasste die Idee des *constitutionalism* denn auch nicht richtig Fuss. Die USA und die von ihr eingesetzte Übergangsregierung hatte viele Fragen, etwa zur Demokratie und zu den Menschenrechten, bereits entschieden und übte keinen Druck auf die schiitischen, sunnitischen und kurdischen Gruppen aus, sich über die Teilung der Macht und Ressourcen im zukünftigen Staat zu einigen. Nachdem die Verfassung in Kraft getreten und ein von der schiitischen Mehrheit dominiertes Parlament seine Arbeit aufgenommen hatte, war es selbstredend erst recht nicht mehr möglich – und für die Mehrheit auch nicht mehr erforderlich – eine Einigung mit den anderen Bevölkerungsgruppen zu erzielen. Es ist denn auch wenig überraschend, dass die von der Verfassung in Aussicht gestellte, aber mangels Einigung nicht durch die Verfassung eingesetzte zweite Kammer bis heute nicht geschaffen wurde, dass das versprochene Verfassungsgericht das gleiche Schicksal erlitt und Konflikte mangels Alternativen gewaltsam oder mit Hilfe von Schmiergeldern gelöst werden.[17]

Neben der Zeit und dem Druck hat es im irakischen Verfassungsprozess auch an den erforderlichen Begegnungen gefehlt. War die Übergangsverfassung im Wesentlichen von ausländischen Experten verfasst worden, so beteiligten sich an der permanenten Verfassung, die sich allerdings sehr eng an die Übergangsregelungen anlehnt, auch irakische Fachleute. Die meisten von ihnen hatten das Land jedoch verlassen, längst die US-amerikanische oder andere Staatsbürgerschaften

---

[16] Vgl. z. B. *Jill Carroll*, Bombs and Ballots, U.S. News & World Report 10/17/2005, 20 ff.

[17] Dies spiegelt sich etwa im Korruptionswahrnehmungsindex, nach welchem sich Irak gegenwärtig auf Rang 169 (von insgesamt 180) befindet, https://www.transparency.de/korruptionsindizes/cpi-2017/cpi-ranking-2017/ (7.12.2018).

erlangt und wiesen nur schwache Verbindungen zu den politischen Auseinandersetzungen im Land und den Verstrickungen der Macht auf. Mit den Kurden waren keine echten, aufreibenden Verhandlungen – mit allen Begegnungen, die diese mit sich gebracht hätten – erforderlich. Ihnen hatten US-amerikanische Diplomaten schon vor der Militärinvention weitgehende Autonomierechte in Aussicht gestellt. Die Sunniten, die pauschal für die Gräueltaten des Saddam-Hussein-Regimes verantwortlich gemacht wurden, waren von den Verhandlungen weitgehend ausgeschlossen. Nur wenige Wochen vor dem Ablauf der Frist wurden einige traditionelle Führungsfiguren an den Verhandlungstisch geladen, doch zu diesem Zeitpunkt war das Paket schon geschnürt und keine Bereitschaft mehr vorhanden, die gefundenen Lösungen in Frage zu stellen. Die wenigen punktuellen Änderungen, die noch vorgenommen wurden, reichten nicht aus, um die Sunniten an Bord zu holen, so dass diese in der Folge der Referendumsabstimmung – wie zuvor den Wahlen – zu großen Teilen fernblieben.[18]

In der vergleichenden Rechtswissenschaft wird oft behauptet, die irakische Verfassung sei ein prächtiges Werk, ein Leuchtturm innerhalb der arabischen Welt, und habe nur den einen Makel, dass sie nicht durchgesetzt werde.[19] Diese Einschätzung scheinen im Land selbst nur wenige zu teilen. Zwar verfügt die Verfassung über einen ausführlichen Menschenrechtskatalog und garantiert demokratische Wahlen. Ihr unglückliches Zustandekommen hat aber nicht nur ihre Legitimation beeinträchtigt, sondern sich auch negativ auf ihren Inhalt ausgewirkt. Sie enthält auf einige Fragen Antworten, die nicht auf einem Konsens der massgebenden Kräfte beruhen, und lässt andere einfach offen. Im Irak habe ich denn auch oft mit einer gewissen Verachtung von der Verfassung reden hören. Sie sei eine Junk-Verfassung, ein lieblos und unter Zeitdruck hergestelltes Dokument, zum schnellen Verzehr vielleicht geeignet, aber nicht dazu, einen zerrütteten Staat zu ernähren.

V. Zeit als Bedingung gelingender Verfassunggebung

Es ist oft einfacher, missratene Verfassunggebungsprozesse zu analysieren und aufzuzeigen, was falsch gelaufen ist, als die Bedingungen gelingender Verfas-

[18] Vgl. z. B. *Zaid Al-Ali*, Creating a New Political Order, in: Sujit Choudry / Tom Ginsburg (Hrsg.), Constitution Making, Cheltenham/Northampton 2016, 653 ff.; *Feisal Amin Rasoul al-Istrabadi*, A Constitution without Constitutionalism: Reflections on Iraq's failed Constitutional Process, Texas Law Review 2009, 1627 ff.

[19] Vgl. z. B. *John McGarry / Brendan O'Leary*, Iraq's Constitution of 2005: Liberal consociation as political prescription, International Journal of Constitutional Law, Volume 5, Issue 4, 2007, 670 ff.

sunggebung positiv zu umschreiben.[20] Dass die richtige Zeit zu den Erfolgsbedingungen gehört, scheint aber auf der Hand zu liegen. Es braucht zweifellos Zeit, rote Linien zu definieren und durchzusetzen, Einigungen zu erzielen und jene Kompromisse zu finden, die für eine friedliche Zukunft nötig sind.

Wieviel Zeit ein gelingender Verfassunggebungsprozess erfordert, lässt sich nicht allgemein sagen. Überstürzt oder unüberlegt verabschiedete Verfassungen sind wohl ebenso fragwürdig wie solche, die so lange diskutiert, zurechtgestutzt und verhandelt worden sind, dass die meisten Akteure das Interesse und alle die Begeisterung verloren haben.

Die Schaffung von Recht folgt einem eigenen Rhythmus, der – zum Teil gewollt, zum Teil gezwungenermassen – vom Tempo anderer Entwicklungen gesellschaftlicher, technologischer, wirtschaftlicher, politischer oder militärischer Art abhängt, diesem folgt oder von diesem abweicht. Das Recht und seine Regeln werden aus konkreten Umständen heraus geboren, erheben aber gleichzeitig den Anspruch, bestimmend und lenkend auf diese einzuwirken. Das Recht wird aus der Zeit heraus geboren, erhebt jedoch, kaum auf der Welt, den Anspruch, diese zu überdauern. Dass das Recht dem Zeitgeist entspringt, aber für sich möglichst lange Geltung beansprucht, gilt für Verfassungen ganz besonders. Die Grundlagen, die in der Verfassung verankert werden, sollen so stabil sein, dass darauf nicht nur Behörden, sondern ganze Rechtsordnungen gestützt werden können. Verfassungen sollen verlässliche Institutionen und faire Verfahren schaffen, klare Zuständigkeiten festlegen sowie durchsetzbare Rechte und Pflichten klären, die Stabilität versprechen und die Zeit überdauern können.

Verfassungen weisen deshalb ein besonderes Verhältnis zur Zeit auf. Oft wollen sie Brücken schlagen zwischen einer von Ungleichheit, Unrecht und Unterdrückung charakterisierten Vergangenheit und einer auf neue rechtliche Grundlagen gestellten Zukunft, die Gleichheit und Gerechtigkeit verspricht. Sie entstehen in der Zeit und ragen über diese hinaus. Wieviel Zeit braucht es, um ein Dokument zu schaffen, das sich quer zur Zeit stellt und für die Zukunft festlegt, wer in welchem Verfahren darüber entscheidet, welche gesellschaftlichen, technologischen, wirtschaftlichen, politischen oder militärischen Entwicklungen Eingang in das Recht finden und welche – vorläufig oder für immer – außen vor bleiben?

Bei der Zeit, die Verfassunggebungsprozesse benötigen, geht es weniger um die Monate oder Jahre, die die Väter und Mütter neuer Verfassungen, verfassunggebende Versammlungen und Friedensverhandlungen zur Verfügung haben, son-

[20] Vgl. z.B. *David Landau*, Constitution-Making Gone Wrong, Alabama Law Review, Band 64, 2012; *Tom Ginsburg / Zachary Elkins / Justin Blount*, Does the Process of Constitution-Making Matter?, in: Sujit Choudry / Tom Ginsburg (Hrsg.), Constitution Making, Cheltenham/Northampton 2016, 329 ff.

dern tatsächlich vielmehr um die Wahrnehmung der Zeit. Die Zeit, die im Kalender gemessen wird, ist von geringer Bedeutung. Es sind schon Verfassungen gelungen, die innert weniger Wochen redigiert und verabschiedet worden sind, genauso wie schon Verfassungen gescheitert sind, die jahre- und jahrzehntelang hin- und hergewälzt worden sind. Es geht um das Gefühl, die richtige Zeit zu haben, nicht zu wenig davon und auch nicht zu viel.

Zu den Bedingungen gelingender Verfassunggebung gehört es mit anderen Worten, genügend Zeit zu haben, um die verschiedenen Positionen zu finden und auszudrücken, die Interessen und die Interessengegensätze in Erscheinung treten zu lassen, Zeit, um zu diskutieren, zu lernen, Ansichten und Überzeugungen in Frage zu stellen und in Frage stellen zu lassen, schliesslich Zeit, sich zusammenzuraufen, Gemeinsamkeiten zu finden, Konzessionen zu machen und sich zu einigen. Mehr als Zeit an sich erfordern Verfassunggebungsprozesse wohl das richtige Timing, die richtigen Abläufe, verbindliche Zeitvorgaben, die notwendige Flexibilität, alles, was nötig ist, damit das Gefühl entsteht, zeitlich richtig zu sein, weder zu eilen noch zu verschleppen, die nötige Zeit zu haben, um schwierige Gegensätze zu überbrücken, aber keine, um trölerisch Zeit zu verlieren.

Zu den Bedingungen gelingender Verfassunggebung gehört es deshalb auch, keine Zeit zu haben für Verzögerungs- und Verschleppungstaktiken, keine Zeit zu lassen für den Missbrauch der Verhandlungsforen und nicht zuzulassen, dass einzelne Akteure nur solange verhandeln, bis sie sich – militärisch oder politisch – von einem Rückschlag erholt haben. Es gibt ja immer wieder Verhandlungspartner, die nur solange am Tisch sitzen, bis ihre Truppenstärke wiederhergestellt oder neue Waffenlieferungen eingetroffen sind. Vom richtigen Umgang mit der Zeit kann deshalb abhängen, wie der Verfassunggebungsprozess wahrgenommen wird, nämlich als ein nützlicher Beitrag zur Beilegung der Krise und zur Wiederherstellung des Friedens oder als eine weitere Waffe in der Hand der Rebellen, der Regierung, der Kriegsgewinnler oder interessierter Drittstaaten, die sie strategisch einsetzen, um Zeit zu verlieren oder zu gewinnen. Von der Zeit, die für den Verfassungsprozess zur Verfügung steht, kann abhängen, ob das Instrument der Verfassunggebung in der interessierten Öffentlichkeit berechtigte Hoffnung auf Frieden und Wohlergehen weckt oder nur als Fortsetzung der Krise mit anderen Mitteln erachtet wird, ob die Wahrnehmung vorherrscht, dass die Mächtigen sich neu arrangieren, oder ob Macht gebrochen und gebändigt wird. Ein Freund aus Zimbabwe hat das nach dem Abtreten Robert Mugabes so formuliert: „Ich sehe dem Zeitplan an, dass hier nicht ein neues sturmtaugliches Schiff gebaut werden soll, sondern nur die Stühle auf dem Deck der Titanic umarrangiert werden. Vielleicht wird auch noch die Reling frisch gestrichen, aber eine Kursänderung ist nicht zu erwarten; nach einer so langen Zeit, während der der Kapitän das mächtige Schiff eigenmächtig in die falsche Richtung gesteuert hat, bräuchten wir mehr Zeit, um uns auf einen neuen Kurs zu einigen."

Als entscheidend für das Gelingen erscheint auch, ob der zeitliche Rahmen eines Verfassunggebungsprozesses als selbst- oder als fremdbestimmt wahrgenommen wird, ob der Eindruck oder die Wahrnehmung vorherrscht, dass der Prozess seinem Rhythmus folgt und nicht durch sachfremde Faktoren beschleunigt oder gebremst wird. In Sri Lanka waren viele dafür, noch vor den nächsten Wahlen eine neue Verfassung zu verabschieden, weil nach der Abwahl des immer autokratischer herrschenden Mahinda Rajapaksa und der Machtübernahme durch ein labiles Bündnis der Opposition unter Maithripala Sirisena eine einmalige Gelegenheit, ein vielgerühmtes *window of opportunity*, für eine neue Verfassung gegeben schien. Eine gewisse Eile schien angezeigt. Ob es genutzt werden kann, erscheint allerdings nach der verfassungswidrigen Absetzung des Premierministers durch den Präsidenten im Herbst 2018 und der Einsetzung von Rajapakse als neuem Regierungschef mehr als ungewiss. Rajapakse geniesst zwar in der singhalesischen Mehrheitsbevölkerung breiten Rückhalt, weil er die tamilische Sezessionsbewegung im Norden der Insel militärisch unterdrückt und damit in den Augen vieler die territoriale Integrität der Insel erfolgreich verteidigt hat. Gerade deswegen und wegen seines wenig demokratischen Gebarens steht er aber nicht für Frieden und Versöhnung und erscheint nicht als jene Figur, die glaubwürdig einen tragfähigen Kompromiss zwischen der singhalesischen Mehrheitsbevölkerung und der tamilischen Minderheit aushandeln könnte.

Anders sehen die zeitlichen Verhältnisse in den Philippinen aus, wo Präsident Rodrigo Duterte nach seiner Wahl den Kongress aufforderte, die Verfassung zu ändern und den Staat auf eine neue föderale und rechtsstaatliche Grundlage zu stellen, und dafür – ohne jeden ersichtlichen Grund – eine Frist von lediglich sechs Monaten vorsah. Nach meiner eigenen Wahrnehmung war das deutlich zu kurz. Jedenfalls überraschte mich der Botschafter, der unserem Föderalismusinstitut kurz darauf einen Arbeitsbesuch abstattete, mit der Aussage, angesichts des Zeitdrucks habe man sich möglichst schnell auf einen Föderalstaat geeinigt, der den Philippinen als Modell dienen könne; dabei sei die Wahl auf Frankreich gefallen. Die Überzeugung, dass die Schaffung einer föderalen Verfassung mehr Zeit erfordert, hat sich jedoch mittlerweile auch in den Philippinen durchgesetzt. Der Kongress hat eine gewaltige Arbeit geleistet, Gespräche gesucht, Möglichkeiten gewälzt, Expertenwissen beigezogen und einen Verfassungsentwurf vorgelegt. Die philippinische Delegation, die unserem Institut vor kurzem einen Besuch abstattete, war bestens informiert über den gewaltenteiligen Staat und über die Fragen, die es zu beantworten gilt. Trotzdem stellt sich nun die Frage, ob die Zeit für den Verfassunggebungsprozess nicht abgelaufen ist. Im Jahre 2019 werden in den Philippinen Zwischenwahlen stattfinden. Sollte Präsident

Dutertes Partei dabei nicht als Sieger hervorgehen, könnte der Prozess zur Föderalisierung des Landes – eng, aber nicht untrennbar verbunden mit der Umsetzung des Bangsamoro-Friedensvertrags, der die Gründung einer autonomen Region Bangsamoro vorsieht – eine Bruchlandung erleiden.

VI. Druck als Bedingung gelingender Verfassunggebung

Soll ein Verfassungsprozess ein Land nachhaltig befrieden, so muss neben dem richtigen Mass an Zeit auch das richtige Mass an Druck zu Verfügung stehen. Ohne dass Druck auf den Prozess und all jene ausgeübt wird, die an ihm beteiligt sind, kommen oft keine tragfähigen Lösungen zustande. Es ist wohl wahr, dass es diesen Druck nicht bräuchte, wenn alle frei und unbeschwert oder hinter dem Schleier des Nichtwissens à la Rawls verhandeln würden. Aber das tun sie bekanntlich nicht. Es braucht deshalb manchmal sanften und manchmal wohl auch massiven Druck auf machthabende und kriegführende Parteien oder auf einzelne Akteure, damit es mit den Friedensverhandlungen und dem Verfassungsprozess vorwärtsgeht. In der Friedensforschung ist viel zu lesen über die Art und Weise, wie Kriegsparteien an den Verhandlungstisch gezwungen und an diesem festgehalten werden können und wie man verhindert, dass immer wieder jemand aufsteht, weil er oder sie glaubt, mit anderen Mitteln mehr erreichen zu können.[21]

Was mich aber noch viel mehr interessiert, ist die Frage, wie die schwächere Partei an den Verhandlungstisch gebracht werden und wie ihr das Gefühl vermittelt werden kann, durch die Mittel des Rechts die eigene Position verbessern zu können. Wie kann die berechtigte Erwartung erweckt werden, dass Recht etwas bringt, wenn man wenig Aussicht darauf hat, sich mit Waffen oder an der Urne durchzusetzen? Mich beschäftigen dabei vor allem jene Krisen, bei denen die Beherrschten sich nicht gegen die Herrscher wenden und eine Demokratisierung des Landes fordern, sondern vielmehr jene, wo Konflikte zwischen den Beherrschten ausgebrochen sind und es um das friedliche Zusammenleben verschiedener Nationen im gleichen Staat oder um das gleichberechtigte Zusammenleben von Mehrheiten mit Minderheiten geht.

Die Wahrnehmung des Rechts durch Minderheiten ist nämlich eine ganz besondere. Von Minderheiten werden oft nicht nur Autokraten und Despoten als

---

[21] Vgl. etwa *Steven van Hoogstraten*, The Art of Making Peace: Lessons Learned from Peace Treaties, Leiden 2017; *Hans Gießmann / Bernhard Rinke* (Hrsg.), Friedenskonferenzen/Friedensverträge, Handbuch Frieden, Wiesbaden 2011; *Coleman Phillipson*, Termination of War and Treaties of Peace, Lawbook Exchange 2010; *Benjamin Miller*, Explaining Variations in Regional Peace: Three Strategies for Peace-making, in: Cooperation and Conflict 2000, 155 ff.

Gefahren wahrgenommen, sondern auch Demokratien. Verfassunggebungsprozesse, die auf dem Mehrheitsprinzip beruhen, sind ethnischen, kulturellen, religiösen oder sprachlichen Minderheiten aus verständlichen Gründen nicht geheuer. Dies gilt besonders, wenn politische Auseinandersetzungen kollektiven Identitäten folgen, weil Konflikte anhand ethnischer, kultureller, religiöser oder sprachlicher Linien entbrannt sind und Gewaltausbrüche das Vertrauen zwischen den Gruppen nachhaltig zerstört haben. Was sollen etwa die Tamilen Sri Lankas, die weniger als 20 % der Bevölkerung ausmachen, von einem Verfassungsprozess halten, der durch die Mehrheit der Singhalesen geprägt ist und in dem es auf ihre Stimme schlechterdings nicht ankommt? Wie sollten sie einem Verfassungsprozess Vertrauen schenken, wenn auf die Verfassung gestützte Behörden und Anordnungen in der Vergangenheit eine Politik der Singhalisierung der Insel und eine Unterdrückung der tamilischen Sprache, Religion und Kultur erlaubte? Und was sollen die Kurden von Rahmenbedingungen für die zukünftige verfassungsrechtliche Debatte in Syrien halten, in welcher folgendes steht: Das zukünftige Syrien ist eine demokratische Republik, deren Religion der Islam und deren Sprache arabisch ist und dessen Verfassung mit einer Zweidrittelmehrheit verabschiedet wurde? Wie sollen die Kurden und andere Minderheiten, die in der Vergangenheit unter einer rücksichtslosen Arabisierung gelitten haben, die großmehrheitlich säkular eingestellt sind und sich weder mit einem islamischen noch mit einem arabischen Staat identifizieren, einen solchen Prozess wahrnehmen? Mit dem Erfordernis einer Zweidrittelmehrheit wird gleich zu Beginn festgehalten, dass es auf ihre Stimmen, die ungefähr einen Fünftel ausmachen, am Ende nicht angekommen wird.[22]

Es braucht also Druck, der einen inklusiven Prozess garantiert und sicherstellt, dass der Sieger nicht alles gewinnt, sondern den Staat und seine Macht teilt und Mitwirkungsrechte gewährleistet. Ausschlüsse von Gruppen sind das Rezept für neue Konflikte. Wird Kurden, Tamilen und anderen staatenlosen Völkern oder Minderheiten die Botschaft vermittelt, dass es auf sie in ihrem Mutterland nicht ankommt, kann man sich kaum wundern, dass diese Gruppen diesen Staat nicht mehr als ihren Staat wahrnehmen und Anspruch auf einen eigenen erheben.

Es braucht also Druck auf die Mächtigen, der diese zwingt, die Macht zu teilen. Idealerweise ergibt sich dieser nicht aufgrund militärischer Notwendigkeiten, z. B. weil Rebellengruppen bewaffnet und vom Ausland unterstützt werden, sondern aufgrund politischer Notwendigkeiten, also einem Verhalten der internationalen Gemeinschaft, das Anreize für faire Verhandlungen setzt.

---

[22] Vgl. *Eva Maria Belser / Sören Keil*, „Building Inclusive Peace in Syria – A Critical Appraisal of the Executive Framework for a Political Solution“, constitutional law blog, https://constitutional-blawg.com (7.12.2018).

VII. Begegnung als Bedingung gelingender Verfassunggebung

Als dritte Bedingung gelungener Verfassunggebung möchte ich die Begegnung nennen. Gewalttätigen Konflikten gehen oft lange Perioden der gewalttätigen Assimilierung oder sogar der Entmenschlichung anderer Gruppen voran.[23] Wo vorher über ethnische, kulturelle, religiöse und sprachliche Grenzen hinweg zusammengearbeitet wurde, entstehen plötzlich Gräben, die als immer unüberwindlicher erscheinen. Es kommt aber meist nicht nur zur Entfremdung der Gruppen untereinander, sondern auch zur Entfremdung einer oder mehrerer Gruppen vom Recht. Dieses wird nicht mehr als ein Instrument der friedlichen Konfliktlösung und der fairen Streitschlichtung wahrgenommen, sondern als parteiisch erachtet, und es erscheint nicht selten als Macht- und Unterdrückungsinstrument, das die eine Gruppe gegen die andere verwendet. Das kann auf dramatische Weise geschehen, wenn das Recht dazu verwendet wird, Gruppen zu assimilieren oder zu marginalisieren, wenn den Kurden verboten wird, kurdisch zu sprechen, wenn tamilische Schulen und Tempel geschlossen werden und wenn der Staat eine gezielte Umsiedlungspolitik betreibt und seine Autorität dafür einsetzt, Menschen und ihre Identität zu bedrohen. Führt Gewalt zum Zusammenbruch der Rechtsordnungen, traut man nur noch jenen, die man als der eigenen Gruppe zugehörig erachtet.

Die Entfremdung einer Gruppe von der Verfassung kann auch weniger dramatisch erfolgen. Etwa so wie in Spanien, wo nicht nur die Katalaninnen und Katalanen, sondern auch viele Spanierinnen und Spanier sowie Außenstehende das Verfassungsgericht längst nicht mehr als unparteiischen Schiedsrichter wahrnehmen, sondern als verlängerten Arm der Regierung, der den Konflikt nicht löst, sondern verschärft und das Vorgehen „verhaften statt verhandeln" schützt. Mein Kollege, Direktor des Zentrums für Autonomieforschung in Barcelona, ein belesener und besonnener Wissenschaftler und Politikberater, wurde nicht nur seines Amtes enthoben, sondern sieht sich – wie viele andere – mit einer Strafdrohung von 30 Jahren wegen Rebellion konfrontiert. Dabei sollte nicht vergessen werden, dass katalanische Parteien seit der Verschärfung der Krise durch die teilweise Ungültigerklärung des katalanischen Autonomiestatuts durch das Verfassungsgericht im Jahre 2010 mit Nachdruck, aber vergeblich gerade nicht die Unabhängigkeit, sondern lediglich einen Dialog über die spanische Verfassung verlangt hatten.

Wenn Konflikte eskalieren, ist es schwierig, zerstörtes Vertrauen in das Gegenüber und die Rechtsordnung wiederaufzubauen. Das aber ist erforderlich. Die

[23] Vgl. etwa *Tzvetan Todorov*, Die Angst vor den Barbaren, Kulturelle Vielfalt versus Kampf der Kulturen, Hamburg 2010.

Menschen müssen sich begegnen, einander als gleiche oder verwandte Wesen wahrnehmen und die Gegenseite so gut kennenlernen, dass sie sich in sie einfühlen können. Sie müssen, wie das ein unbekannter Apachenkrieger so schön auf den Punkt gebracht hat, mindestens eine Meile in den Mokassins des anderen laufen. Christian Morgensterns Aphorismus, wonach erst das Auge die Welt erschafft, mag schon stimmen. Aber erst der Blick des andern erschafft die gute Welt, nämlich jene, die wir in der Rechtsordnung abbilden möchten.

Zu den Bedingungen gelingender Verfassunggebung gehört also, dass die Menschen wieder zueinander finden. Damit meine ich nicht, dass Friede, Freude, Eierkuchen auszubrechen hat oder dass der Verfassungsprozess zu warten hat, bis das Misstrauen nachlässt. Ich meine aber, dass der zwischenmenschenschlichen Ebene sehr viel mehr Beachtung geschenkt werden müsste. Menschen müssen auch gemeinsam Kaffee trinken, sich das Feuer oder den Salat reichen, müssen vor dem Konferenzsaal gemeinsam verregnet werden und über ihre Kinder oder Krankheiten reden. Es hilft, wenn sie sich gemeinsam über die unfreundliche Bedienung im Hotel beklagen oder sich über die hervorragende Nachspeise freuen, von Mücken zerstochen oder von der Hitze erschlagen werden. Nach meiner Erfahrung kann es auch zu versöhnlichen Gesprächen kommen, wenn Exponenten verschiedener Gruppen gemeinsam einen Experten oder eine Expertin korrigieren und ihm oder ihr klarmachen, dass sie diesen oder jenen Aspekt der eigenen Geschichte oder Rechtsordnung nicht richtig verstanden haben. Es erstaunt deshalb nicht, dass Friedensverhandlungen und Workshops über zukünftige Verfassungsprinzipien oft an abgelegenen Orten stattfinden, in Seminarhotels, denen man nicht entfliehen kann und in denen man sich, ob man will oder nicht, mit anderen im Frühstücksraum oder abends in der Bar trifft. Ob man bereit ist, neben dem Arabischen auch das Kurdische oder neben dem Singhalesischen auch das Tamilische als Amtssprache anzuerkennen, hängt, so scheint mir, ganz entscheidend davon ab, ob man Menschen anderer Sprache kennt und freundschaftlichen Umgang mit ihnen pflegt. Das schafft die Atmosphäre, die erforderlich ist, um jene Kompromisse zu finden, die ein guter Verfassungsprozess erfordert, und jenen zu widerstehen, die keine friedliche und gerechte Zukunft erwarten lassen.

VIII. Schlussbemerkung

Schön im eng verstandenen Sinn der Ästhetik braucht eine Verfassung nicht zu sein. Ein Verfassungsrechtsvergleicher hat einmal geschrieben, wenn ich mich richtig erinnere in einem Vorwort, er würde immer, wenn es ihm schlecht gehe und er sich deprimiert fühle, die alte Verfassung der Sowjetunion lesen. Sie sei so schön wie ein Gedicht und berühre ihn so, dass ihm jeweils die Tränen kämen. Verfassungen sind aber keine Gedichte, sie sprechen die Sprache der Macht. Zu dichten oder Plattitüden festzuhalten, schafft keinen Frieden, auch wenn der Text noch so schön und kohärent verfasst ist. Vielmehr muss am Schluss der harterrungene Konsens in der Verfassung stehen, ob er nun gefällt oder auch nicht.

Was am Schluss fast als das Wichtigste erscheint, ist, dass die neue Verfassung zu den Umständen passt, die sie regeln und gestalten will. Was festgehalten und verabschiedet wird, muss übereinstimmen mit Land und Leuten, ihrer Geschichte und ihren Wünschen. Sie muss so formuliert sein, dass alle Menschen, ohne deren Zustimmung die Zeichen nicht auf Frieden, sondern auf Sturm stehen, die Verfassung, wenn schon nicht willkommen heissen, so doch als verbindliche Grundlage des neuen Staats akzeptieren. Der Verfassungstext muss das hart errungene Ergebnis echter Interessenkonflikte sein, ein starkes Gebäude, das nicht auf Sand, sondern auf dem gestampften Boden offen und hartnäckig ausgetragener Debatten gebaut ist.

Allzu schöne, geradlinige und makellose Texte sind oft verdächtig. Sie passen nicht zur Wirklichkeit und zu den Menschen und Institutionen, die sie gestalten. Wenn die Verfassungstexte wie hohe Pappeln gerade in den Himmel ragen, kann etwas nicht stimmen. Ich habe vor zwei Wochen im Londoner *Kew Garden*, im nach jahrelangen Renovationen neu wiedereröffneten *Temperate House*, einen südafrikanischen Krüppelbaum gesehen. Seine knorrigen Äste wachsen krumm in alle Richtungen, nach unten und nach oben, eigenwillig und in sich doch stimmig. Er liefert gutes Brennholz; die Äste wachsen nicht sehr hoch, man kann sie erreichen, und sie wachsen nach. Mit so etwas lässt sich kochen und heizen. Der Krüppelbaum oder Kreupelwood, wie die Afrikaaner sagen, gibt ein schönes Bild für eine Verfassung ab. Verknorkst und verworren, aber robust, erreichbar und nützlich.

Gerades, Stimmiges und Erhabenes mag schön und passend sein für eine Kirche oder einen Tempel, aber es passt nicht zu den Menschen in ihrer Vielfalt und Widersprüchlichkeit und damit auch nicht zum Recht. In der schweizerischen Verfassung steht bekanntlich auch eine Bestimmung zu den Fuß- und Wanderwegen, von der man ohne weiteres behaupten kann, sie passe nicht zu den Menschenrechten und zur Wahl des Bundesrats, aber sie steht dort und erfreut die Wanderfreundinnen und Wanderfreunde. Beim letzten Treffen zu den Verfassungsprinzipen für ein zukünftiges Syrien bestanden viele darauf, dass bei der Gewährleistung der Glaubens- und Gewissensfreiheit hinzugefügt werde, dass diese auch für die Jesiden gelte. Warum die Jesiden? Warum nicht die Assyrer, Kurden, Turkmenen oder Tscherkessen? Aber das war zu wenig krumm gedacht. Das, so liess ich mir erklären, sei nicht nötig, denn nur den Jesiden sei in der Vergangenheit abgesprochen worden, eine eigene Religion zu haben, und deshalb verdienten sie es, speziell erwähnt zu werden. Vielleicht sollten auch noch die Mandäer speziell erwähnt werden, denn als Neuzuzüger hätten sie es ebenfalls schwer; darüber gingen die Meinungen noch auseinander und mein und anderer Leute Hinweis darauf, dass die Religionsfreiheit doch für alle Religionen gelte, blieb wirkungslos, weil viel zu grad gedacht.

Hat nicht schon Kant gesagt, dass aus so krummem Holz als wie dem Menschen nichts Gerades gemacht werden kann? Von krummen Verfassungen, deren Normen sich biegen und winden, die Trockenzeiten und starke Winde überstehen, die tiefe Wurzeln haben und sich – wo und wie immer es geht – der Sonne entgegenrecken, von solchen Verfassungen lässt sich am ehesten erwarten, dass sie den Frieden sichern und schützen, wenn es hart auf hart geht.

Die Ästhetisierung des Rechts in Theorie und Praxis

Götz Schulze †

Sind Gesetzbücher, Gesetzestexte, Gerichtsentscheidungen oder rechtswissenschaftliche Abhandlungen auf eine sinnliche Erkenntnis gerichtet? Sind sie schön? Ist eine Vorschrift, etwa des Steuerrechts, geschmackvoll, oder gibt es einen Weg, sie schön und geschmackvoll zu machen? Gegenüber der Schönheit als Qualitätsmaßstab[1] zeigt sich die sprichwörtliche Skepsis: „zu schön, um wahr zu sein"! Wir misstrauen der Schönheit, weil die Realität, zumal die juristische, ihr nicht zu entsprechen scheint. Brauchen wir dennoch Sprachbilder und Verkörperungen gelungener Prozesse im Recht? Oder ist das Recht generell durch eine spezifische Wahrnehmung gekennzeichnet und auf ästhetische Formungen angewiesen?

I. Ästhetik des Rechts und Ästhetisierung des Rechts

In seiner „Aesthetica" aus dem Jahr 1750–58 definiert und begründet *Alexander Gottlieb Baumgarten* (1714–1762)[2] die *Aisthesis* als „die Wissenschaft der sinnlichen Erkenntnis"[3]. Zu den „Erkenntnisvermögen" gehörten Gefühl und Empfindung *(sensus)*, Einbildung, Phantasie und Vorstellung *(imaginatio)*, die Erschaffung von fiktiven Gegenständen *(facultas fingendi)* und Gedächtnis bzw. Erinnerungskraft *(memoria)*. Als Theorie sinnlicher Wahrnehmung bezeichnet die *Aisthesis* nicht lediglich die kognitive Verarbeitung empirischer Sinnesreize, sondern sie umfasst den gesamten mentalen Erkenntnisprozess. Seither bildet die

---

[1] *Klaus Friedrich Röhl / Hans Christian Röhl*, Allgemeine Rechtslehre, 4. Aufl., München 2018, § 18 II, sprechen vom wichtigsten Qualitätsmaßstab, der den objektiven Prinzipien Variation und Vielfalt entgegenstellt.

[2] Zu Baumgarten *Ursula Niggli*, in: Alexander Gottlieb Baumgarten, Die Vorreden zur Metaphysik, Frankfurt a. M. 1998, Einleitung.

[3] Ästhetik. Lateinisch-Deutsch. Übersetzt und mit einer Einführung herausgegeben von Dagmar Mirbach. Band I. Hamburg 2007, Teil I: Theoretische Ästhetik, 21 ff.

Ästhetik als Wissenschaft eine Teildisziplin der Philosophie[4] und blickt von dort auf das Recht als einen ihrer Gegenstände.[5] Aus dem Blickfeld der Rechtswissenschaft ist die wissenschaftliche Ästhetik dagegen eine mögliche Grundlage für die Entstehung und für die Wirkungsweise von Recht.[6] So entwickelt sie einen Zweig der Rechtstheorie mit Bezügen zu den Methodenlehren des Rechts.[7] Die Rechtsästhetik[8] formuliert eine Schnittmenge aus beiden Blickfeldern.

Lässt sich Recht aber überhaupt sinnlich wahrnehmen, und folgt aus dieser Wahrnehmung auch so etwas wie eine „sinnliche Erkenntnis", die einen Platz in der Produktion von Recht und im Diskurs über das Recht einnimmt? Werden ästhetische Urteile spontan oder jedenfalls affektiv getroffen und können sie nicht durch das Geben von Gründen verteidigt werden,[9] passen sie nicht zum spezifisch juridischen Diskursideal. Ich will versuchen zu zeigen, dass die Artikulation von Rechtsmeinungen, im engeren von juridischen Urteilen, sprachliche Werkzeuge nutzt, die auf einen sinnlichen Erkenntnisprozess schließen lassen. Eher spekulativ ist der daraus ableitbare weitere Schritt. *Die sinnliche Wahrnehmung formt – so meine Vermutung – auch den Inhalt des Rechts*. Sie ist gewissermaßen eine Produzentin des Rechts. Am deutlichsten tritt dieser Produktionsvorgang hervor, wenn man die juristischen Methodiken und die diese reflektierenden Methodenlehren den Annahmen der juristischen Rhetorik[10] unterstellt. Denn die Artikulation einer Rechtsmeinung wird rhetorisch als individuell artifizieller Prozess beschrieben und analysiert. Insofern lässt sich von der Ästhetisierung des Rechts sprechen. Ästhetisierung meint dann eine prozesshaft (re-)konstruierbare Abfolge von mental geformten Sprechakten, die einen betrachteten Gegenstand sichtbar werden lassen. Dieser Vorgang bringt den Gegen-

---

[4] Die spezifische Erkenntnisweise sinnlicher Wahrnehmung ist der Gegenstand der Ästhetik als moderner Teildisziplin der Philosophie, s. Stichwort „Ästhetik", in: Arnim Regenbogen / Uwe Meyer (Hrsg.), Wörterbuch der philosophischen Begriffe, Hamburg 1998, 70, 71 li. Sp.

[5] *Eva Schürmann*, Das Recht als Gegenstand der Ästhetik, RphZ 2015, 1–12.

[6] *Röhl / Röhl* (Fn. 1), § 18 II u. IV, sprechen insoweit von genetischer Ästhetik.

[7] Zwischen Theorie und Methode *Joachim Lege*, Ästhetik als das A und O „juristischen Denkens", RphZ 2015, 2836; *Johanna Braun*, Leitbilder im Recht, Tübingen 2015, 204f. mahnt eine ästhetische Perspektiverweiterung für das Recht an; *Tim Florstedt*, Recht als Symmetrie. Ein Beitrag zur Theorie des subjektiven Privatrechts, Tübingen 2015, 44ff. u. 307ff., leitet aus dem Symmetriesatz einen Sollensbefehl ab, wonach Symmetrien nicht lediglich Perzeptionsmittel, sondern ein Primärphänomen für Recht darstellen; *Daniel Damler*, Rechtsästhetik. Sinnliche Analogien im juristischen Denken, Berlin 2016, 29f., erklärt die normative Kraft des Schönen und sieht darin eine lebensweltliche Bedingtheit des juristischen Denkens.

[8] *Damler* (Fn. 7); „Rechtsästhetik" ist das Thema von Heft 1 der RphZ 2015.

[9] *Thomas Hilgers*, Was ist ein ästhetisches Urteil?, in: Thomas Hilgers / Gertrud Koch / Christoph Möllers / Sabine Müller-Mall (Hrsg.), Affekt und Urteil, Paderborn 2015, 23, 24.

[10] Umfassend Katharina Gräfin von Schlieffen (Hrsg.), Handbuch der Juristischen Rhetorik, angekündigt für 2020.

stand durch Artikulation hervor, ändert ihn oder intensiviert eine bestimmte Vorstellung von ihm. Das Erkenntnispotential des *zur-Sprache-bringens* soll für die Entstehung und für die Veränderungen des Rechts erschlossen werden. Es geht also nicht um die umgangssprachliche Verschönerung oder um eine Gestaltung nach Geschmack, sondern um den durch sinnliche Wahrnehmung gesteuerten Prozess bei der Artikulation von Recht.[11] Das soll hier durch die Verwendung von metrischen Operatoren in der Rechtssprache gezeigt werden, die auf ästhetischer Wahrnehmung beruhen und auch auf eine solche ausgerichtet sind.

II. Prämissen der Ästhetisierung

Bevor wir uns den praktischen Aspekten dieser Ästhetisierung des Rechts zuwenden können, bedarf es noch der Offenlegung einiger Prämissen und Abgrenzungen. Bei den Prämissen orientiere ich mich an dem von *Eva Schürmann*[12] entwickelten Konzept zu Stil und Ästhetik im Recht, das sich auch aus juristischer Sicht bestätigen und vertiefen lässt.

1. Die Darstellungsgebundenheit des Rechts

Der Annahme, dass es kein darstellungsfreies Recht gibt,[13] stimme ich zu. Form und Inhalt einer rechtlichen Aussage sind untrennbar miteinander verknüpft. Einen Inhalt ohne Form kann es ebenso wenig geben wie eine erscheinungsfreie Wahrheit. Folglich gibt es im Recht auch keine erscheinungsfreie Richtigkeit (i.e. Gerechtigkeit). Die Form darf allenfalls analytisch gegenüber dem Inhalt zurückgestellt werden. Wer die kunstvolle Formulierung als bloße Ästhetisierung diskreditiert, verkennt die Angewiesenheit der Sinnerzeugung auf ihre Artikulation. Die Formulierung ist die Vollzugsform des Formulierten. Ästhetik hat es daher mit notwendigen Formgebungen, Sichtbarmachungen und Darstellungsleistungen zu tun. Eine Dichotomie zwischen der Schönheit des Gedankens unabhängig von seiner Form ist nicht möglich. Die Wahrnehmungsbedingtheit alles Gegebenen[14] gilt auch für das Recht.

---

[11] Das zur-Sprache-bringen muss sich nachfolgend auf die Verschriftlichung eines Rechtstextes (Abfassung eines Fachaufsatzes, einer Gerichtsentscheidung oder eines Gesetzes) beschränken.

[12] *Schürmann* (Fn. 5).

[13] *Schürmann* (Fn. 5), 2–4. Folglich sind auch ein „Recht an sich“ oder eine ontisch gegebene Eigentlichkeit des Rechts abzulehnen.

[14] *Schürmann* (Fn. 5), 4.

2. *Subjektgebundenheit des Rechts*

Aus der Darstellungsgebundenheit folgt eine zweite Prämisse. Rechtliche Aussagen sind stets subjektabhängig und damit relativ. Das zeigt bereits der individuelle Prozess der Herstellung einer Rechtsmeinung, die eine Konstruktion des Autors darstellt. Neutralität ist ausgeschlossen. Jedes juridische Urteil ist an (s)einen Autor geknüpft und damit perspektivabhängig. Die unhintergehbare Autorenschaft wird ferner ergänzt durch eine individuelle Stilabhängigkeit.[15] Die Art und Weise, wie ein Jurist eine Rechtsmeinung formt, wie er sie darstellt und ihr einen Sinn gibt, beruht auf wiederkehrenden Prinzipien, Methodiken und Hintergrundannahmen, kurz auf einem juristischen Denkstil.[16] Die Juristenausbildung, die institutionelle Verankerung juristischer Berufe und die Berufspraxen sind kanonisiert und kulturell geprägt. Sie sind zugleich von Land zu Land verschieden. Entsprechend bilden Juristen auch ein kulturelles Kollektiv bzw. eine Handlungsgemeinschaft und kennen einen *modus operandi* oder eine allgemeine Disposition, einen Denkstil, der zwar Wandlungen unterworfen ist, der aber nicht unmittelbar gesteuert werden kann.[17] Basieren habituelle Auffassungs- und Deutungsmuster auf einem kulturgebundenen Rechtsempfinden und individuellen Hintergrundüberzeugungen, so stehen sie der Möglichkeit eines neutralen Rechtsstandpunktes ebenso entgegen wie die Subjektgebundenheit des Autors.

3. *Rationalität und Verallgemeinerbarkeit als Strukturerwartungen an das Recht*

Ein vollständig rationales Verhalten der Akteure des Rechtsstabes gilt als gesellschaftliches Leitmotiv für gelungene gesellschaftliche Institutionalisierungsprozesse des Rechts.[18] Der Rechtsstaat und das rechtsstaatliche Handeln werden identifiziert mit vollständiger Rationalität bei gleichzeitiger Unparteilichkeit und Unabhängigkeit. Ihre Idee wird unter der impliziten Voraussetzung aufgestellt, dass es möglich sei, ein juridisches Urteil zu fällen, welches ausschließlich auf

---

[15] *Schürmann* (Fn. 5), 4.

[16] Oder – nach *Pierre Bourdieu* – auf einem „Habitus" als einem „System verinnerlichter Muster, die es erlauben, alle typischen Gedanken, Wahrnehmungen und Handlungen einer Kultur zu erzeugen" (zit. nach *Schürmann* (Fn. 5), 6).

[17] Die sog. Rechtskultur bildet eine nicht unmittelbar verfügbare Differenz, vgl. *Götz Schulze*, Kulturgebundene Dispositionen und das Internationale Recht, in: ders. (Hrsg.), Kulturelle Relativität des Internationalen Rechts, Baden-Baden 2014, 9–20 f.

[18] *Sabrina Zucca-Soest*, Akteure im Recht. Zum Verhältnis von Individuum und Recht, Baden-Baden 2016, Vorwort, 6.

Vernunftgebrauch beruht.[19] Das ist eine als unaufgeklärt erkannte[20] und dennoch als Ideal stabilisierte Sichtweise. Richtigerweise muss die dritte Prämisse daher lauten: Gesetzgebung, Rechtsprechung und Rechtsmeinung lassen sich nicht als Resultat eines Erkenntnisprozesses verstehen, der sich rein rational vollzieht. Vielmehr geht es um einen Erschließungs- und Anschauungsprozess[21], der Emotionen und Gefühle aufnimmt und diese rationalisierend verarbeitet. Die Vernunft bildet dabei eine generelle Strukturerwartung für Rechtlichkeit. Diese Strukturerwartung wird rhetorisch genutzt. Die schriftsprachlichen und bildlichen Operatoren, durch die eine Gesetzeslage, der Richterspruch oder die Rechtsmeinung als richtig ausgewiesen werden, formen die Akzeptanzgrundlagen der Rezipienten. „Richtig" meint ein gerechtes Urteil nach juridischen Maßstäben. Die Richtigkeit folgt aus dem Vergleich mit anderen Standpunkten. Richtig ist ein Urteil, wenn der simultane Abgleich mit anderen Ansichten des in Frage stehenden Sachverhalts zu demselben Ergebnis führt und dieser Vorgang reproduzierbar ist. Richtigkeit ist danach eine Behauptung, die widerlegt oder bestätigt werden kann. Das Ziel der Akteure ist es, die eigene Rechtsmeinung nach diesen Maßstäben als richtig auszuweisen und die Rezipienten hiervon meinungsmäßig zu überzeugen, also die Bestätigung oder Widerlegung zu evozieren. Überzeugung ist pragmatisch zu verstehen[22] und meint, Einverständnis der Adressaten herzustellen.[23] Es geht also darum, sprachliche Operatoren zu benen-

[19] *Sabine Müller-Mall*, Entfaltungen des Rechts im Gefühl, in: Sigrid G. Köhler / Sabine Müller-Mall / Florian Schmidt / Sandra Schnädelbach (Hrsg.), Recht fühlen, Paderborn 2017, 159, 163.

[20] Die grundlegenden Einsichten der Verhaltensanalyse des Rechts *(Behavioral Law)* sind allerdings in den klassischen Methodenlehren, aber auch in der Praxis noch kaum angekommen, vgl. nur jüngst unter Vergleich zum „Homo oeconomicus" *Jörg Risse*, Der Homo iuridicus – ein gefährliches Trugbild. Wie Heuristiken richterliche Entscheidungen beeinflussen, NJW 2018, 2848 m. w. N.

[21] *Müller-Mall* (Fn. 19), 159, 171 ff. („im Urteil etwas als etwas sehen").

[22] Die Rhetorik begnügt sich insoweit mit einer philosophisch wie auch naturwissenschaftlich naiven, vortheoretischen Vorstellung des anthropologisch noch weithin ungeklärten Vorgangs der Überzeugung. Zur Überzeugung als psychischem Modus des Subjekts in Bezug auf einen Sachverhalt (Gehalt) s. etwa *Tobias Schlicht* / *Joulia Smortchkova*, Mentale Repräsentation, Frankfurt a. M. 2018, 9. Oder pragmatisch als ein mentaler Zustand, in dem der Zweifel daran, was zu tun ist, durch Denken überwunden wurde und sich daraus eine Verhaltensgewohnheit (Regel) ergibt, nach der man künftig handeln will, vgl. mit Nachw. zu *Peirce* (belief and habit) *Joachim Lege* (Fn. 7), 28 (Thesen 2 u. 3).

[23] Überzeugen meint in einer anspruchsloseren Variante nur das Einverständnis des Adressaten, weil es auf einen Gleichlauf der inneren Motive nicht ankommt. Ebenso die Diskurstheorie, die auf diskurstheoretisch begründete Konsense zur Beglaubigung von Geltungsansprüchen abstellt *(Habermas, Alexy)*; zur Übertragung auf das Recht: *Armin Engländer*, Diskurs als Rechtsquelle? Zur Kritik der Diskurstheorie des Rechts, Tübingen 2002, 12 ff. Ob die Überzeugung in der klassischen Rhetorik nur eine Illusionsform der Überredung darstellt (dazu *Dieter*

nen, die eine sinnliche Wahrnehmung beschreiben und damit ein Urteil intro- und retrospektiv als gerecht und anschlussfähig ausweisen.

Die letzte Prämisse richtet sich auf die Operationalität ästhetischer Urteile im Recht. Rechtliche Aussagen müssen verallgemeinerbar sein, damit in vergleichbaren Fällen vergleichbare Urteile ergehen können. Die Begründungen sollen vorhersehbar, nachvollziehbar und plausibel sein, damit Rechtssicherheit herrscht. Benötigt werden daher Maßstäbe, die sich an Vernunft und Verstand orientieren. Die Logik richtet sich dabei auf die Widerspruchsfreiheit normativer Aussagen und Befehle, auf quasi-mathematische, logisch formalisierte Denkschritte[24], die Gefühl und Willkür abhalten sollen. *Kant* hat bekanntlich die Generalisierbarkeit bzw. die Generalisierungshinsicht als die Maxime des Rechts ausgewiesen. Wie aber lassen sich Rationalität und Vernunftgebrauch, die richterliche Kognition, anschaulich machen? Dies geschieht – so meine These – durch logische Operatoren und Metaphern. Idealerweise durch solche, die annehmen lassen, dass sämtliche affektiven Dimensionen des Entscheidens ausgeschaltet worden seien, und die deshalb übernommen werden können und den Entscheidungsprozess reproduzierbar machen.

4. Grundsätze und Abgrenzungen

Nachfolgend soll es um die Verwendung metrischer Operatoren zur Fertigung rational reproduzierbarer Normaussagen gehen. Im Einsatz dieser Operatoren zeigen sich ästhetisch wirksame Vorstellungen für ein gerechtes Recht, weil und soweit sie an sinnliche Wahrnehmungen logischer Beziehungen anknüpfen. Gemeint sind die Begriffe Angemessenheit mit der damit verbundenen Verhältnismäßigkeit, Proportionalität und Mitte sowie Korrespondenz, Konsens, Konsistenz, Konkordanz, Kohärenz und Gegenseitigkeit (Reziprozität). Diese Begriffe erlauben metrische Explikationen einer vernunftgeleiteten Entscheidungsbildung. Sie bilden Repräsentanten für die Konstruktion eines idealisiert rationalen Rechts. Rhetorisch betrachtet geht von ihnen eine besondere Überzeugungskraft aus, sie sind persuasionsrelevant. Damit kommt man zum ästhetischen Gebrauch dieser Begriffe, denen sinnliche Wahrnehmungen (passend, adäquat, proportional, symmetrisch, gleich, harmonisch u. a.) zugrundeliegen.

Simon, Recht als Rhetorik – Rhetorik als Recht, in: Dieter Grimm / Alexandra Kemmerer / Christoph Möllers (Hrsg.), Gerüchte vom Recht, Baden-Baden 2015, 201, 209) ist hier daher ebenfalls nicht erheblich.

[24] *Friedrich Schnapp*, Logik für Juristen. Die Grundlagen der Denklehre und Rechtsanwendung, 7. Aufl., München 2016, 14, spricht von den Prüfsteinen richtigen Denkens und Schließens.

Zusammenfassend lassen sich dazu folgende Grundsätze formulieren: Erlebnisse, Eindrücke und Erfahrungen im Umgang mit dem Recht erzeugen eine sinnliche Wahrnehmung von Recht. Umgang meint die individuelle Bildung von Rechtsmeinungen und deren Artikulation. Der Modus der Artikulation ist die Versprachlichung (schriftlich, mündlich, bildlich). Die sinnliche Verarbeitung im Denken und Handeln erfolgt über artikulierte Vorstellungen und Repräsentationen des Rechts. Vorverständnisse, Denkstile und Grundhaltungen wirken in diesem Wahrnehmungsprozess mit. Der Autor blickt in sich hinein (Introspektion), und er blickt zurück (Retrospektion). Empirisch betrachtet stellt jeder verfasste Rechtstext einen Bericht über den abgeschlossenen Prozess der Entscheidungsfindung seines Autors dar. Der Urteilende beschreibt in der Abfassung des Urteils seine Entscheidung über die gestellten Alternativen. In unterschiedlichen Stilen und Gebräuchen enthält das Urteil introspektive Aussagen über den eigenen Deliberationsprozess der Urteilsfindung. Der Verfasser eines Urteils oder einer Rechtsmeinung beschreibt also seine eigenen Werkzeuge und gelangt dabei auf eine sinnliche Ebene. Die Urteilsfindung ist ein Suchprozess in sich selbst, der versprachlicht wird. Das Ergebnis ist immer eine Erfindung, ohne deshalb fiktional zu sein. Das *zur-Sprache-bringen* von sinnlich präformierten Inhalten lässt sich danach als ein Konstruktionsmerkmal des Rechts auf der Grundlage sinnlicher Erkenntnis verstehen.

Ferner ist jedes Urteil zumindest im Zeitpunkt seiner Äußerung (im gerichtlichen Verfahren zum Zeitpunkt seiner Verkündung, in der Erteilung der Druckfreigabe eines Manuskripts) als abgeschlossen zu betrachten.[25] Erläutert wird die fertige Rechtsmeinung als etwas Geschaffenes. Das Urteil ist also ein hergestelltes Produkt, und der Autor zeigt bewusst oder unbewusst, wie er es gebaut hat.[26] Er weist seinem Urteil überdies Prädikationen zu, die es in den tatsächlichen Annahmen als wahr und in den wertenden als richtig ausweist. Der Prozess und sein Ergebnis werden als gelungen beschrieben, weil der Autor mit ihm meinungsmäßig überzeugen will und auf ein entsprechendes Anschlussverhalten seiner Adressaten setzt. Daher bewertet der Autor sein eigenes Urteil über den beurteilten Gegenstand (Fallfrage und Rechtsfrage) als angemessen (passend, adäquat und sachgerecht). Er erklärt die prozedurale Richtigkeit der Begründungsschritte und leitet aus ihnen die Richtigkeit des Ergebnisses ab. Die Begriffe, die wir beim Fällen juridischer Urteile als Prädikate gebrauchen, haben einen logisch ästhetischen Gehalt, dessen Gemeinsamkeit verstanden werden muss, um zu verstehen, was ein juridisches Urteil ist. Die Analyse dieser Prädikationen

[25] Was nicht bedeutet, es sei unabänderlich, sondern lediglich in der Weise feststehend, wie es vom Autor selbst so bezeichnet wird (vorläufig, endgültig, bindend usf.).

[26] Im Verständnis der Rechtsrhetorik geht es um den Bau einer Begründung, der dem imaginierten Bau eines gegenständlichen Objekts (eines Regals oder eines Gebäudes) ähnelt.

mit Bezug auf das Recht soll zeigen, dass es hierbei um ästhetische (sinnliche) Begriffsbildungen geht und dass das juristische Urteil daher auch als ein ästhetisches Urteil verstanden werden kann oder gar muss.

Zugleich müssen einige Abgrenzungen gemacht werden: Unter Sinnlichkeit ist hier nicht der basale körperliche Sinnesreiz und ein daran anschließendes ästhetisches Urteil[27] zu verstehen, ein äußeres Objekt als schön oder hässlich, eine Rechtsregel oder das Ergebnis ihrer Anwendung als gerecht oder ungerecht auszuweisen. Ferner soll es hier auch nicht darum gehen, nach physiologischen Ereignissen, Ursachen[28] und körperlichen Reaktionen zu fahnden, die durch die Bewertung gerecht oder ungerecht, angemessen oder unangemessen, passend oder unpassend ausgelöst werden.[29] Positive Gefühlsformierungen wie Zuversicht, Freude und Zufriedenheit oder negative wie Reue, Scham und Rache bleiben ausgeblendet. Vielmehr richtet sich das Augenmerk auf den Gebrauch von juridischen Operatoren, die in der Gerichtsentscheidung, im Gesetz oder in der rechtswissenschaftlichen Abhandlung artikuliert werden. Der Gebrauch dieser Operatoren dient der Veranschaulichung gedanklicher Abfolgen des Urteilens. Dabei kann offenbleiben, ob der Gebrauch die gedankliche Abfolge tatsächlich repräsentiert und daher für wahr gehalten werden könnte oder ob die Operatoren nur instrumentell gebraucht werden, um einer Rationalitätserwartung zu genügen, die den Autor vor dem Vorwurf der Willkür bewahrt und die eine rhetorische Funktion im Prozess der Durchsetzung von Rechtsmeinungen erfüllt.

Ein weiterer grundlegender Aspekt bedarf der Erwähnung. Der ästhetische Gebrauch juristischer Begriffe wird gesteuert, ergänzt und kontrolliert durch emotionale Regime. Das komplexe Zusammenspiel von Rationalität und Emotionalität wird auch in Bezug auf das Recht erst in Ansätzen verstanden und stellt eine Herausforderung für den interdisziplinären Diskurs dar.[30] Gefühle werden in rechtlichen Diskursen prinzipiell nicht explizit gemacht. Aus der Verwendungsweise sprachlicher Operatoren, die dem Verstand zugeordnet werden, kann auf emotionale Faktoren rückgeschlossen werden. Eine Kristallisationsform dieses

---

[27] Zu den ästhetischen Urteilen bei *Kant*, bei denen das Subjekt durch das sinnlich Gegebene affiziert ein unbegründbares (Un-)Lustgefühl empfindet und auf dieses Selbstgefühl sein Urteil stützt, vgl. *Hilgers* (Fn. 9), 23, 35 m.N.

[28] Zur Erklärung des Rechts aus mechanischen und körperlichen Kräften s. *Hubert Treiber*, Zur Physiologie des Rechts oder Der Muskel als Scharnierbegriff, in: Philipp Sarasin / Jakob Tanner (Hrsg.), Physiologie und industrielle Gesellschaft. Studien zur Verwissenschaftlichung des Körpers im 19. und 20. Jahrhundert, Frankfurt a. M. 1998, 170.

[29] *Müller-Mall* (Fn. 19), 159, 175.

[30] Siehe dazu Hilge Landweer / Dirk Koppelberg (Hrsg.), Recht und Emotion I, Freiburg i. Br. 2016; Hilge Landweer / Fabian Bernhardt (Hrsg.), Recht und Emotion II, Freiburg i. Br. 2017.

Zusammenspiels bildet das Rechtsgefühl[31], das sich mit steigendem Professionalisierungsgrad zum Judiz[32] entwickelt. Die epistemische Bedeutung, die Voraussetzungen und die Wirkungen des Rechtsgefühls können hier jedoch ebenfalls nicht verfolgt werden.[33]

III. Praxis

1. Die normative Kraft des Schönen

Wie wirken sich nun diese Grundannahmen für die Ästhetisierung des Rechts aus? Historische Vorläufer einer Ästhetisierung bieten etwa die Scholastik, die elegante Jurisprudenz der Niederlande oder das Vollkommenheitsdenken eines *Christian Wolff* (1679–1754).[34] Und heute? An die normative Kraft des Schönen hat *Damler*[35] erinnert, und man kann generell sagen, dass die kunstgerechte Darstellung, die Einfachheit (Effizienz, Präzision, Verständlichkeit)[36], die Ordnung (Monotonie, Stimulanz, Folgerichtigkeit), die Klarheit (Kontrastschärfe, Transparenz) oder eben die Schönheit (Eleganz, Symmetrie und Harmonie[37]) bewertet werden. Die sinnlichen Aspekte haben für die Bildung und Wahrnehmung von

---

[31] Hier als Sammelbegriff für die Rolle von Affekten und Emotionen im Recht; zu dem noch schillernderen Begriff des Rechtsgefühls aus juristischer Sicht s. Ernst-Joachim Lampe (Hrsg.), Das sogenannte Rechtsgefühl, Wiesbaden 1985.

[32] Die Fähigkeit oder der Sinn, die richtige Lösung zu finden *(sensus iuridicus)* oder die „Fähigkeit zu intuitiver Erfassung und richtiger Anwendung dessen, was geltendes Recht ist", s. *Erwin Riezler*, Das Rechtsgefühl – rechtspsychologische Betrachtungen, 3. Aufl., München 1969, 14; als Judiz zum richterlichen Richtigkeits- oder Gerechtigkeitsgefühl entwickelt: *Sabine Müller-Mall*, Zwischen Fall und Urteil – Zur Verortung des Rechtsgefühls, in: Thomas Hilgers / Gertrud Koch / Christoph Möllers / Sabine Müller-Mall (Hrsg.), Affekt und Urteil, Paderborn 2015, 117, 129.

[33] Siehe dazu Sigrid G. Köhler / Sabine Müller-Mall / Florian Schmidt / Sandra Schnädelbach (Hrsg.) Recht fühlen, Paderborn 2017, 10; *Julia Hänni*, Gefühle als Basis juristischer Richtigkeitsentscheidungen, in: Thomas Hilgers / Gertrud Koch / Christoph Möllers / Sabine Müller-Mall (Hrsg.), Affekt und Urteil, Paderborn 2015, 133, 137 ff. (intentionales Fühlen als Teil der Urteilskraft).

[34] *Helge Dedek*, Die Schönheit der Vernunft – (Ir-)Rationalität von Rechtswissenschaft in Mittelalter und Moderne, RW 2010, 58–82.

[35] Grundlegend *Damler* (Fn. 7), 30 (Sinnlichkeit und normative Kraft des Schönen).

[36] Bezogen auf die Gesetzessprache *Wolfgang Brandt*, Müssen Gesetze schwer verständlich sein? Einwände eines Linguisten gegen Schutzbehauptungen der Juristen, in: Hans Hattenhauer / Jörn Eckert (Hrsg.), Sprache, Recht, Geschichte, Heidelberg 1991, 339–342.

[37] Dazu bereits *Götz Schulze*, Symmetrie und Harmonie im Recht – eine Skizze, in: Hans-Joachim Petsche (Hrsg.), Symmetrie und Harmonie – Eine multidisziplinäre Vorlesungsreihe, Berlin 2018, 75–101.

Recht Bedeutung. Dabei ist die Stilkritik, etwa im Sinne einer verbesserten Legistik, nachrangig, vorrangig ist die Formungstätigkeit zur Schaffung von Recht, die auf impliziten und expliziten Entscheidungsvoraussetzungen des Rechts beruht. Das, was – ohne thematisiert zu werden – in der Produktion von Recht mitläuft. Dazu gehören auch herrschende Deutungsmuster, Grundüberzeugungen, Rechtsstile. Da der *modus operandi* nur im *modus operatum* erkennbar ist, geht es um das darstellerische Sprachhandeln von Juristen. Erforderlich ist hierzu die Selbstbeschreibung der Prozesse des Selegierens, Gewichtens und Abwägens aller für den Fall relevanten normativen Aspekte (Situationsmerkmale). Der mentale und artikulierte Vorgang des Abwägens (gleichbedeutend mit „berücksichtigen" oder „würdigen") richtet sich auf eine passende Gestaltung *(fit)*. Zentrale Bedeutung hat der Vorgang, eine Passung von Sachverhalt und Maßstab herzustellen. Im Urteil findet insofern eine Selbstbeschreibung und Selbstprädikatierung des Ergebnisses dieses Vorganges statt.[38] Grundlage hierfür – so die These – bildet eine ästhetische Metrik.

2. Ästhetische Metrik als Zeichensprache des Rechts

In der Praxis erfolgt die Formung der gerechten Anschauung durch eine metrische Zeichensprache.[39] Metrisch lässt sich für unsere Betrachtung als maßgebunden verstehen und meint das durch eine Abstandsfunktion beschreibbare Verhältnis zwischen zwei Elementen eines Raumes (Metrik oder Abstandsfunktion[40]). Das daraus abgeleitete lateinische *„symmetria"* und ihr altgriechisches Pendant (*syn* „zusammen" und *métron* „Maß") meinten in ihrer geometrischen Bedeutung das Gleichmaß, in ihrer nicht-mathematischen Bedeutung „das rechte Maß".[41] Wann aber ist ein Maß in einem juridischen Sinne „recht" und damit „gleich"?

In der Elementargeometrie ist eine Figur symmetrisch, wenn sie um einen Punkt in sich selbst überführt wird (punktsymmetrisch) oder durch Spiegelung an einer Achse in sich selbst überführt wird (achsensymmetrisch). Die Symmetrie in der Physik kennzeichnet die Eigenschaft eines Systems, sich durch eine bestimmte Transformation nicht zu verändern (Invarianz).[42] Das juristisch benutzte Verb „an=gemessen" und die im juristischen Urteil allgegenwärtige „An=

---

[38] *Müller-Mall* (Fn. 32), 117, 128.

[39] Näher dazu *Schulze* (Fn. 37), passim.

[40] Guido Walz (Hrsg.), Lexikon der Mathematik, Bd. 3 Inp bis Mon, Heidelberg 2001, 419, Stichwort „Metrik, metrischer Raum": Metrik ist die Abbildung des Abstands zweier Punkte in einer beliebigen analytischen Gestalt.

[41] Zur rechtlichen Bedeutung der Symmetrie grundlegend *Florstedt* (Fn. 7).

[42] *Domenico Giulini*, Bedeutung und Aspekte des physikalischen Symmetriebegriffs, Anmerkungen zu (und in): *Herrmann Weyl*, Symmetrie, 1952, dt. Übersetzung von *Lulu Bechtholsheim*, 3. Aufl., Berlin etc. 2017, 209.

gemessenheit" deuten auf eine gedankliche Operation hin, die Maß nimmt und eine allgemeine Rechtsregel wertungstreu und insofern unverändert in eine konkrete Handlungsanweisung (den erteilten Rechtsbefehl) überführt. Für die Entwicklung juristischer Parameter für eine angemessene rechtliche Entscheidung werden weitere Operatoren benötigt, die ihrerseits symmetrische Eigenschaften haben (Proportionalität, Gleichheit, Konsens, Adäquanz, Kohärenz). Ferner zeichnet sich die geometrisch geformte (Achsen-)Symmetrie dadurch aus, dass ihre Teile auf sich selbst abgebildet werden können. Die Achse bildet eine Mittellinie ab, über die sich die diversen Formen (Gerade, Kreis, Kugel, Quader, Quadrat, Rechteck, Trapez) spiegeln. Die geometrische Form besitzt danach ein unveränderliches Gleichmaß und zeigt eine axiologische Komplementarität an. Das führt zu einer im Recht ebenso weit verbreiteten „Verhältnis=mäßigkeit" in einem geometrischen Sinne, die als Wertungsrelation auf Proportionalität und eine Mitte angelegt ist[43] und ggf. verallgemeinernd, abgeschwächt oder gebrochen auch als Harmonie aufgefasst werden kann.

Lassen sich wertbegründende Korrelationen im Recht axiologisch, invariant und proportional erkennen? Werte und Wertungen können nicht quantitativ erfasst werden. Auch eine Sozialgeometrie ist nicht fassbar. Jedoch greifen Werte auf relationale Beziehungen, auf eine innere Haltung und auf Rechtsgefühle zurück. Hier kommen ästhetische Anschauungen ins Spiel. In einem übergeordneten Sinne kann man mit *Damler* von Sinnbildern im Recht sprechen.

3. Symmetrien und Recht

a) Ästhetische Muster für Recht und Gerechtigkeit

Die auf *Aristoteles* zurückgehende Unterscheidung der *iustitia commutativa* (ausgleichende) und der *iustitia distributiva* (austeilende Gerechtigkeit) beruht auf dem Vergleich mit der arithmetischen und der geometrischen Proportion, und sie lässt sich bis in Detailprobleme etwa des Zivilrechts nachvollziehen.[44] Eine Symmetrie zeigt sich im Prozess in der Gleichheit der zugelassenen „Waffen". Man spricht daher auch von der prozeduralen Gerechtigkeit[45], die gegen mögliche Asymmetrien wirken soll. Das objektive Recht greift dann ein, wenn Asymmetrien bestehen. So werden etwa, und nur um ein Beispiel zu nennen, Informationsasymmetrien im Verbraucher-Unternehmerverhältnis durch gesteigerte Auf-

---

43 *Damler* (Fn. 7), 213 (bezogen auf die aristotelische Mitte).

44 *Claus Wilhelm Canaris*, Die Bedeutung der iustitia distributiva im deutschen Vertragsrecht, München 1997, 78 ff., der zugleich jedoch empfiehlt, die mathematischen Entsprechungsverhältnisse nicht weiter zu benutzen (S. 11).

45 *Hans Prütting*, Gerechtigkeit durch Verfahren, jurisMonatszeitschrift 2016, 354, 355 ff.

klärungspflichten der Unternehmen und Sonderrechte für Verbraucher (Widerrufs- und Rückgaberechte) symmetriert.

b) Bilder vom Recht (Symbole, ikonographische Programme)

In Symbolen oder ikonographischen Programmen stößt man auf die ausbalancierte Balkenwaage als Rechtssymbol für Gerechtigkeit. Das Zeichen impliziert den auf ein Gleichgewicht ausgerichteten Wägevorgang. Das performative Auswiegen (Wägen) geht transformatorisch in ein Gebot zum Gleichmaß und damit in eine Gerechtigkeitsformel über. In der allegorischen Gestalt der *Justitia* tritt zur Waage noch das zweischneidige Schwert, das die symmetrische Beidseitigkeit im Ausgleich ergänzt. Die Personalisierung in Gestalt einer idealisiert schönen Frau[46] verknüpft Urteilskraft[47] und legale Gewaltanwendung mit Harmonie und Ästhetik. Viele andere Symbole des Rechts deuten assoziativ auf ein Gleichmaß, auf Proportionalität und in einer Gesamtbetrachtung auf Harmonie hin. Die Juristische Methodik und Dogmatik hat den Begriff der *praktischen Konkordanz (Konrad Hesse)* entwickelt.[48] Die gegenläufigen Wertungen werden zum Ausgleich gebracht. Der hier imaginierten Mitte zwischen den beiden entgegengesetzten Rechtspositionen liegt eine metrische Wahrnehmung zu Grunde.

c) Ästhetisierung durch Brechung der Symmetrie (Harmonie)

Auch die *harmonia* knüpfte in ihrer altgriechischen Ursprungsbedeutung an die Symmetrie an und bezeichnete das Ebenmaß wie auch die Vereinigung von Entgegen- oder Zusammengesetztem zu einem Ganzen.[49] Harmonie dürfte danach an eine komplexere Beschreibung eines symmetrischen Raumes anknüpfen, in dem sich Symmetrien in einer funktionalen Ordnung zu einem übereinstimmenden Ganzen fügen und ihre einzelnen Elemente in einem ästhetischen Einklang aufgehen. Die Harmonie impliziert eine nur angenäherte oder schematische Symmetrie oder gar Brechung allzu strenger symmetrischer Gleichheitsvorstellungen.[50] Eine geläufige juristische Argumentationsfigur, die sich mit Harmonie

---

[46] Zur Deutung der Weiblichkeit, *Stefan Hess*, Herrscherideale und ideale Frauen: Tugendallegorien im frühneuzeitlichen Basel, Basler Zeitschrift für Geschichte und Altertumskunde 111 (2011), 115–154 (einschließlich der Erotisierung des allegorischen Frauenkörpers, 148 ff.).

[47] Die aus einem mittelalterlichen Spottbild für blinde Richter übernommene Augenbinde symbolisiert heute Unparteilichkeit und personale Distanz.

[48] *Konrad Hesse*, Grundzüge des Verfassungsrechts der Bundesrepublik Deutschland, 20. Aufl. Heidelberg 1999, Rn. 72 et passim.

[49] *Jan Brauers*, Weltformel Harmonie, 3. Aufl., Baden-Baden 1998, 14; Arnim Regenbogen / Uwe Meyer (Hrsg.), Wörterbuch der philosophischen Begriffe, Hamburg 1998, 282 (Übereinstimmung der Teile eines zusammengesetzten Ganzen).

[50] Eine Eigenschaft der Symmetrie ist es, dass sie exakt, näherungsweise oder gebrochen ist, vgl. *Katherine Brading / Elena Castellani*, Topic: Symmetry and Symmetry Breaking, 2.

verbinden lässt, ist die sog. „Einheit der Rechtsordnung", die das methodische Bemühen in der Rechtsanwendung meint, trotz ausufernder Gesetzgebung begriffliche, systematische und wertungsbezogene Divergenzen zwischen verschiedenen Teilrechtsgebieten aufzuheben.[51] Einzelne Rechtssätze werden unter diesem Blickwinkel auf ein harmonisches Ganzes hin ausgelegt. Auf Harmonie sind aber auch ganze Rechtsgebiete ausgerichtet. Unter den Mitgliedstaaten der EU ist etwa die Harmonisierung ein feststehender juristischer Ausdruck für das rechtswissenschaftliche Streben, Rechtsgrundsätze und Rechtsregeln systematisch aufeinander abzustimmen.[52] Die nationalen Gerichte der Mitgliedstaaten sollen, unabhängig davon welchem Mitgliedsstaat sie angehören, gleich entscheiden (sog. Entscheidungsharmonie).[53]

Als ein allgemeines juristisches Strukturkonzept für Harmonie gewinnt ferner die metrische Proportionalität ihre Bedeutung. Der Modus der Zuteilung von Gütern und Rechten unter Wertungsgesichtspunkten lässt sich proportional angemessen bestimmen.[54] Bringt man eine solche Rechtsharmonie auf eine metrische Formel, so führt dies zur Proportionalität der Angemessenheit.[55] Hier mag das

---

Symmetry Breaking, in: Edward N. Zalta (Hrsg.), The Stanford Encyclopedia of Philosophy (Spring 2013), http://www.plato.stanford.edu/archives/spr2013/entries/symmetry-breaking (8.10.2018).

[51] *Creifelds*, Rechtswörterbuch, 22. Aufl., München 2017, 346, Stichwort „Einheit der Rechtsordnung", speziell bei der Auslegung von Verfassungsnormen, s. dazu *Dagmar Felix*, Einheit der Rechtsordnung. Zur verfassungsrechtlichen Relevanz einer juristischen Argumentationsfigur, Tübingen 1998.

[52] *Götz Schulze*, Ökonomik der Vollharmonisierung im Gemeinschaftsprivatrecht, in: Beate Gsell / Carsten Herresthal (Hrsg.), Vollharmonisierung im Privatrecht – Die Konzeption der Richtlinie am Scheideweg?, Tübingen 2009, 63–82.

[53] Damit sollen rechtmäßig erworbene Rechte geschützt sowie hinkende Rechtsverhältnisse und *forum shopping* vermieden werden. Zum Entscheidungseinklang als Rechtsprinzip, *Sarah Nietner*, Internationaler Entscheidungseinklang im europäischen Kollisionsrecht, Tübingen 2016, 18 ff.; BeckOGK-Götz *Schulze*, 2017, Art. 3 EGBGB Rn. 12 u. 42.

[54] Zuteilungsmaße haben einen wesentlichen Anteil in der moralischen Empfindung des (Un-)Rechts, s. *Lothar Philipps / Rainhard Bengez*, Zuteilende Gerechtigkeit, in: Rainhard Bengez / Lothar Philipps (Hrsg.), Beweis und Metrik, Festschrift für Roland Wittmann, Bern 2016, 157, 179; *Robert Spaemann*, Moralische Grundbegriffe, 8. Aufl., München 2009, 50: „Gerechtigkeit ist die Anerkennung einer fundamentalen Symmetrie in den Beziehungen von Menschen, und zwar dort, wo es um die Verteilung knapper Güter geht." Ebenso *Niklas Luhmann*, der von der „mathematischen Musik der Gerechtigkeit" spricht und damit die innere Harmonie von Rechtsinstituten meint (Zur Funktion des subjektiven Rechts, in: Jahrbuch für Rechtssoziologie und Rechtstheorie 1 (1970) 321, 371).

[55] So etwa im Satire-Streit Böhmermann v. Erdogan, siehe *Jürgen Oechsler*, Die Satire – Rechtliche Grenzen eines Kulturinstituts, NJW 2017, 757, 762 f.: „Weil die satirische Wirkung auf Kosten des Satireopfers erlangt wird, muss sie eine *innere Angemessenheit zwischen Mittel und Zweck im Sinne des Verhältnismäßigkeitsgrundsatzes* wahren" (Hervorh. d. Verf.).

griechisch antike Ideal der *Kalokagathie*[56] fortwirken, die eine Verbindung von Schönheit und Sittlichkeit herstellt und die in der „goldenen Mitte" zu einer ästhetischen Grundanschauung gelangt; sie bleibt als juristische Regel zwar oft uneindeutig, erscheint in Grenzfällen aber überaus brauchbar. Harmonie im Recht reagiert auf die Einsicht, dass strenge Beweisführungen und logische Gewissheiten die soziale Wirklichkeit nicht hinreichend erfassen. Das mathematisch-metrische Muster muss also variiert, erweitert und gebrochen werden.

4. Ästhetisierung durch juristische Symmetrien

Symmetrische Wahrnehmungsmuster lassen sich in regulative Sinnbilder für das „rechte Maß" transformieren. Sie beeinflussen juristische Begriffs-, Regel- und Prinzipienbildungen und können nach ihren Erscheinungsformen typisiert werden.

a) Metrische Begriffsbildungen

Juristische Begriffe imaginieren ein metrisch geformtes Sprachbild. Die Metapher als semantisches Sprachbild sorgt dabei für schriftsprachlich sublimierte visuelle Erlebnisse des Rezipienten. Vor allem Hintergrundmetaphern verleihen und stabilisieren Strukturen (etwa Verfassungsstaat, Länderfinanzausgleich, *balance of powers*, Grundrechtsarchitektur, u. a.m.). Eine topische Art[57] rechtlicher Symmetriewahrnehmung erfolgt ferner etwa über tradierte Rechtssprichwörter, denen ein symmetrisches Element eigen ist. Die Parömie „Der Ältere teilt, der Jüngere wählt" [58] zeigt einen symmetrischen Verteilungsmodus. Derjenige, der teilt, ist derjenige, der den zuletzt übrigen Anteil erhält. Handlungsleitend soll eine exakt symmetrische Gleichteilung sein. Die metrischen Hintergrundmetaphern werden ergänzt durch den Gebrauch von sensualen Begriffen. Praktische Erfahrungen aus der körperlichen Existenz des Menschen treten sublimiert in Rechtsbegriffen auf (unantastbar, grobe Fahrlässigkeit, üble Nachrede, Verfassungsidentität, Loyalität, Vertrauen).[59]

---

[56] Übersetzt: das Schön-Gute, von *kalós* = schön und *agathós* = gut, s. Regenbogen / Meyer (Hrsg.) (Fn. 49), 334 (Bildungsideal).

[57] Zum klassischen Streit um die Topik *Theodor Viehwegs* siehe nur *Reinhold Zippelius*, Juristische Methodenlehre, 11. Aufl., München 2012, § 14a a. E.; *Franz Reimer*, Juristische Methodenlehre, Baden-Baden 2016, Rn. 397.

[58] *Karin Nehlsen-von Stryk*, „Der Ältere teilt, der Jüngere wählt". Ein altes Rechtssprichwort in den Händen gelehrter Juristen, in: Karlheinz Muscheler (Hrsg.), Römische Jurisprudenz – Dogmatik, Überlieferung, Rezeption. Festschrift für Detlef Liebs zum 75. Geburtstag, Berlin 2011, 469–488.

[59] *Jörg Michael Schindler*, Rechtsmetaphorologie. – Ausblick auf eine Metaphorologie der

b) Metrische Regelbildung

Adäquanz, Angemessenheit, Proportionalität oder Berücksichtigungsgebote (Relevanzselektionen) zeigen die metrischen Anschauungen. Rechtliche Symmetrien lassen sich entsprechend in analogen Paar- und Verteilungsmustern aufzeigen. Das Verhältnis von Vorteilszuweisung und Risikotragung beim Sacheigentum findet in der Parömie „*lucrum sentit dominus – casum sentit dominus*" ein axiologisches Gerechtigkeitsmuster.[60] Dem Sacheigentümer werden die Vorteile der Sachnutzung und der Gewinn, das *lucrum rei*, aber in gleicher Eindeutigkeit auch die Nachteile, der Zufall *(casum)*, die Gefahr *(periculum)* sowie die Verschlechterung oder der Verlust der Sache zugewiesen.

c) Metrische Prinzipienbildung: Operatoren der Rechtssprache

Symmetrien lassen sich ferner in juristischen Argumentationen erkennen, die mit regulatorischen Operatoren arbeiten, die die gedankliche Operation im Sinne von Prinzipien leiten. Zu nennen sind die Angemessenheit, die Verhältnismäßigkeit, Proportionalität und Mitte als ästhetische Vorgaben sowie Korrespondenz, Konsens, Konkordanz, Kohärenz, Konsistenz, Kompensation und Gegenseitigkeit (Reziprozität).

(1) Der zentrale prozedurale Operator im Recht ist die *Angemessenheit.* Wer erklärt, das passende Maß genommen zu haben, behauptet eine invariante Transformation einer gesetzlichen Wertung in eine konkret wertende Handlungsentscheidung. Sie nimmt symmetrische Formen wie Verhältnismäßigkeit, Proportionalität und Mitte[61] auf. Die metrische Zeichensprache ist für die regeltreue Wertkonkretisierung wahrnehmungsleitend. Die Selektion von Situationsmerkmalen, die dem Angemessenheitsurteil zugrunde liegt, führt wiederum zu einer Strukturerwartung an das positive Recht.[62]

Grundrechte. Eine Untersuchung zu Begriff, Funktion und Analyse rechtswissenschaftlicher Metaphern, Berlin 2016, 236; *Treiber* (Fn. 28), 170–203.

[60] *Florstedt* (Fn. 7), 70 ff., geht davon aus, diese Symmetrie sei dem Eigentum vorgegeben (S. 73); dort auch weitere Beispiele.

[61] Als Suchformel u. a. in Vergleichsverhandlungen, s. *Franz Bydlinski*, „Suche nach der Mitte" versus „Kampf ums Recht"?, in: Stephan Lorenz (Hrsg.), Festschrift für Andreas Heldrich, München 2005, 1091, 1105.

[62] *Klaus Günther*, Der Sinn für Angemessenheit, Anwendungsdiskurse in Moral und Recht, Frankfurt a. M. 1988, 318 u. 336. Eine unparteiliche Selektion von entscheidungserheblichen Situationsmerkmalen soll durch das positive Recht in Relevanzstrukturen abgebildet werden. Danach sind nicht alle Merkmale einer Situation relevant, sondern nur diejenigen, die zur semantischen Extension des Tatbestandsmerkmals gehören, an die die Norm eine bestimmte Rechtsfolge knüpft.

(2) Der metrische Operator *Korrespondenz* bezeichnet eine begriffslogische Entsprechung, ein Gegenüber in einem Bezugsverhältnis, einen Gegenbegriff, wie etwa „kein Recht ohne Pflicht".[63]

(3) Der metrische Operator *Konsens* synchronisiert die Handlungsabsichten der Konsensbeteiligten. Der Prozess hin zur wechselseitigen Akzeptanz von Plänen, Pflichten und Einschätzungen anderer erfolgt in verschiedenen Modi der Konsensbildung (Zustimmung, Abstimmung, Benehmen). Das exakte Maß an notwendiger Akzeptanz, etwa nach Mehrheitsverhältnissen, ist je nach Kontext verschieden. Der schuldrechtliche Vertragskonsens verlangt idealtypisch die vollständige Übereinstimmung und kommt daher nur zu Stande, wenn sich Angebot und Annahme exakt entsprechen. Das Vertragsschlussmodell ist hier ein axiologisch symmetrischer Transformationsprozess von wechselseitig erklärten Leistungsversprechen (Willenserklärungen) in den beide Parteien bindenden Vertrag. Die jeweiligen Vertragsversprechen und der dazu invariante Vertragskonsens sind inhaltlich identisch. Die bis heute akzeptierte Idee eines gemeinsamen gesetzgebenden Willens der Partner wird als naturwissenschaftlicher Verschmelzungsvorgang zweier Willen zu einem einheitlichen Vertragswillen vorgestellt (Konsensdogma).[64]

(4) Die juristische Verwendung des Symmetrieoperators *Konkordanz* (lat. *concordare* = übereinstimmen) ist eine methodische Vorgehensweise zur Auflösung von normativen Zielkonflikten. Aktuelle Beispiele für Abwägungsdiskurse finden sich im symmetrischen Bild einer Grundrechtsschaukel. Durch eine mehrfache Wechselbetrachtung der widerstreitenden Positionen (sog. Wechselwirkungslehre) zielt sie auf eine goldene Mitte ab. Für diese Methode ist der Begriff

[63] Das Korrespondenzverhältnis geht als „principium iusti" auf *Thomasius* zurück, der damit die Rechtspflicht von der Gewissenspflicht und den Pflichten gegenüber Gott abgrenzt, s. *Christian Thomasius*, Fundamenta iuris naturae et gentium I, 5 § 25 (S. 150): „… quod quae homo facit ex obligatione interna & regulis honesti & decori, dirigantur a virtute in genere, & ab iis homo dicatur virtuosus, non justus; …"; zit. nach *Klaus Luig*, Das Privatrecht von Christian Thomasius zwischen Absolutismus und Liberalismus, in: Werner Schneiders (Hrsg.), Christian Thomasius 1655–1728. Interpretationen zu Werk und Wirkung, Hamburg 1989, 148, 153 f.; zur heutigen Bedeutung, *Rudolf Bruns*, Recht und Pflicht als Korrespondenzbegriffe des Privatrechts, in: Rolf Dietz (Hrsg.), Festschrift für Hans Carl Nipperdey zum 70. Geburtstag, München 1965, 3, 6 f.

[64] Damit ist die Übertragungscausa für den Austausch von Versprechen hinfällig, vgl. *Bruno Schmidlin*, Die beiden Vertragsmodelle des europäischen Zivilrechts: das naturrechtliche Modell der Versprechensübertragung und das pandektische Modell der vereinigten Willenserklärungen, in: Reinhard Zimmermann / Rolf Knütel / Jens Peter Meincke (Hrsg.), Rechtsgeschichte und Privatrechtsdogmatik, Heidelberg 1999, 187, 199; zusammenfassend *Götz Schulze*, Die Naturalobligation. Rechtsfigur und Instrument des Rechtsverkehrs einst und heute – zugleich Grundlegung einer zivilrechtlichen Forderungslehre, Tübingen 2008, 305 f.

der *praktischen Konkordanz*[65] entwickelt worden. Der hier imaginierten Mitte zwischen den beiden entgegengesetzten Rechtspositionen liegt eine metrische Wahrnehmung zu Grunde.

(5) Der metrische Operator *Konsistenz* bezeichnet die Folgerichtigkeit von normativen Argumentationsschritten. Gefragt wird nach der Stimmigkeit verschiedener Wertungen eines Rechtsschutzkonzepts und nach dem Zusammenspiel seiner Instrumente und Parameter. Die Konsistenzprüfung ermöglicht die Aufdeckung von (unbemerkten) Widersprüchen. Die Konsistenzbehauptung birgt aber auch die Gefahr unreflektierter Deduktionsschritte, die zwar folgerichtig sind, aber dennoch neben der Sache liegen können *(precisely wrong)*. Der vom Konsistenzoperator ausgehenden Sogkraft axiologischer Genauigkeit und den sich daraus ergebenden Ableitungszwängen wirkt die Kohärenz entgegen.

(6) *Kohärenz* (lat. *cohaerere* = zusammenhängen) ist die Eigenschaft eines Systems, dessen Elemente störungsfrei mit- und nebeneinander agieren und zugleich ein zusammenhängendes Ganzes repräsentieren. Im medizinisch-technischen Sinne geht es um Interferenz und Synchronisierung, etwa von Herzschlag, Atmung und Blutdruck eines Menschen. Der Operator *Kohärenz* zielt im Recht auf die inhaltliche Abstimmung von Normen und normativen Aussagen. Die Handlungsakte sollten so aufeinander abgestimmt sein, dass sie widerspruchsfrei ein geschlossenes (harmonisches) Ganzes bilden. Die Kohärenz umfasst die Konsistenz.[66] Beide Begriffe betonen die Bedeutsamkeit des „In-Beziehung-Setzens“ einzelner Regelungselemente zueinander.[67] Das Kohärenzgebot gilt in gleicher Weise innerhalb eines umgrenzten Sachbereichs (Verbraucherrecht, IT-Recht, nationaler und europäischer Grundrechtsschutz, das europäische Glückspielrecht[68] usf.) wie auch sachgebietsübergreifend, besonders betont für das

---

[65] S. Fn. 48 mit Verweis auf *Konrad Hesse*.

[66] *Andreas Hansberger*, Stichwort „Kohärenz“, in: Albert Franz (Hrsg.), Lexikon philosophischer Grundbegriffe der Theologie, Freiburg i. Br. 2003/2007, 225 (für die Kohärenz ist neben der Konsistenz das Maß der Vernetzungen von Überzeugungen in einem Folgerungssystem entscheidend); *Robert Alexy*, Juristische Begründung, System und Kohärenz, in: Okko Behrends / Malte Diesselhorst (Hrsg.), Rechtsdogmatik und praktische Vernunft, Festschrift zum 80. Geburtstag von Franz Wieacker, Göttingen 1989, 96 f.

[67] *Eberhard Schmidt-Assmann*, Kohärenz und Konsistenz des Verwaltungsrechtsschutzes. Herausforderung angesichts vernetzter Verwaltungen und Rechtsordnungen, Tübingen 2015, 6: Dabei werden sich gegenseitig ergänzende und verstärkende, aber ebenso sich gegenseitig neutralisierende und blockierende Effekte sichtbar.

[68] Zur Rechtsprechung des EuGH zum deutschen Glücksspielmonopol etwa *André Lippert*, Das Kohärenzerfordernis des EuGH, EuR 2012, 90: „Sie [die Kohärenz] meint konsistente Zielverwirklichung und Auflösung von Zielkonflikten.“ Hier werden allerdings die Symmetrieoperatoren Konsistenz und Konkordanz zu Eigenschaften der Kohärenz erklärt, was im Hinblick auf die behandelte Rechtsprechung des EuGH richtig sein mag, aber den Kohärenzbegriff zu eng fasst.

Recht der EU[69]. Hier kennzeichnet sie den Mehrebenenrechtsschutz[70] (einfaches nationales Recht, GG, EuGR-Charta, EMRK). Es lässt sich nicht angeben, welches Maß an Übereinstimmung unter mehreren normativen Aussagen erreicht werden muss, um eine theoretisch richtige und juristisch valide Kombination der verschiedenen Normative bejahen zu können. Wie auch die Operatoren *Konkordanz* und *Konsistenz* erlaubt die Kohärenz ein prinzipienhaftes Mehr oder Weniger, ist im topischen Sinne eine Suchformel, aber bleibt als metrischer Operator wirksam.

(7) *Kompensation* ist die auf einen Nachteilsausgleich gerichtete Entsprechungsformel. Sie begrenzt Schadensersatzforderungen nach dem metrischen Ausgleichsprinzip. Weder der Geschädigte noch der Schädiger dürfen hieraus einen Gewinn ziehen. Der Anspruch ist auf den Ausgleich des tatsächlich erlittenen Schadens beschränkt. Eine vergleichbare Kompensation gilt für das Strafmaß, das nach der individuellen Schuld des Täters zu bemessen ist (sog. tatproportionale Strafzumessung, § 46 Abs. 1 S. 1 StGB).[71]

(8) Reguliert ein Rechtsverhältnis einen gegenseitigen Leistungsaustausch auf der Grundlage von aufeinander bezogenen Motiven und Gründen der Beteiligten, ist das leitende Strukturmerkmal die Gegenseitigkeit oder *Reziprozität*. Sie ist kennzeichnend für Tauschgeschäfte. Gabe und Gegengabe, Leistungsversprechen und Geldversprechen stehen in einem wechselbezüglichen reziproken Verhältnis zueinander. Reziproke Strukturen sind auf einen metrischen Ausgleich gerichtet. Sie sind im Zivilrecht verbreitet.[72]

---

[69] Zu den verschiedenen Bedeutungen des Kohärenzgebots im EU-Recht, *Kirsten Siems*, Das Kohärenzgebot in der Europäischen Union und seine Justiziabilität, Baden-Baden 1999, 27 ff.; Kohärenz ist ferner ein Gebot zur Abstimmung von Einzelakten, und sie gilt als Metaregel zur Entfaltung einer europarechtlichen Rechtsdogmatik, s. *Armin von Bogdandy*, in: ders. (Hrsg.), Europäisches Verfassungsrecht, Berlin 2003, 149, 153 (Aufbau einer europäischen Prinzipienlehre).

[70] *Schmidt-Assmann* (Fn. 67), 6.

[71] Regelhafte Relation zwischen Strafe und Schweregehalt der jeweiligen Straftaten, s. im Einzelnen, allerdings kritisch, *Henning Radtke*, in: Münchener Kommentar zum StGB, 3. Aufl., München 2016, Vorbemerkung zu § 38 StGB Rn. 18.

[72] Beispiele sind neben dem Tauschvertrag das gemeinschaftliche Testament für wechselbezügliche Verfügungen von Ehegatten (§ 2270 Abs. 1 BGB), die gemeinsamen Vorstellungen als Geschäftsgrundlagen (§ 313 Abs. 2 BGB) oder die bereicherungsrechtlichen Zweckabreden (*condictio ob rem*, § 812 Abs. 1 S. 2 Alt. 2 BGB).

IV. Schluss

Die besondere dialektische Spannung zwischen einer Ästhetisierung des Rechts und dem hergebrachten ontologischen Verständnis von Recht entsteht durch die Ideen des Rechtsstaats und der Rechtstaatlichkeit. Die Erreichbarkeit objektiver Richtigkeit, reiner Rationalität und vollständiger Neutralität bilden wirkmächtige Idealisierungen und Imaginationen im Recht. Sie sperren sich gegen eine Vereinnahmung durch die Ästhetik und folgen ihr doch. Metrische Operatoren der Rechtssprache, die eingesetzt werden, um unserer gesellschaftlichen Rationalitätserwartung an das Recht zu entsprechen, deuten jedenfalls darauf hin.

Das Ergebnis der Herstellung einer Rechtsmeinung mag für die Rezipienten als juridisches Kunstwerk und der Autor mag als Künstler erscheinen.[73] Die kreative Kraft der Rechtsproduzenten beruht auf der unhintergehbaren Subjektivität und dem über sie gelegten Schleier artikulierter Rationalität. Ästhetisierung ist also Wahrnehmung von Recht und Formung des Rechts. Wenn sie gelingt, ist sie schön!

[73] S. zur „Piano-Theorie" des ehemaligen BGH-Präsidenten Günther Hirsch *Bertram Lomfeld*, Emotio iuris, Skizzen zu einer psychologisch aufgeklärten Methodenlehre des Rechts, in: Sigrid G. Köhler / Sabine Müller-Mall / Florian Schmidt / Sandra Schnädelbach (Hrsg.), Recht fühlen, Paderborn 2017, 19, 20.

Die Schönheit der Eingriffskondiktion

Am Beispiel höchstpersönlicher Rechtsgüter

Maximilian Wolf

I. Einführung

Der Titel „Schönheit der Eingriffskondiktion" mag auf den ersten Blick verwundern, haben doch wohl die wenigsten die Eingriffskondiktion als einen der schöneren Teile ihrer juristischen Ausbildung in Erinnerung. Ganz im Gegenteil wird das Bereicherungsrecht der §§ 812 ff. BGB vielfach als praxisfern und übertheoretisiert empfunden. Es dürfte kaum übertrieben sein, dass wenige Rechtsgebiete einen derart schlechten Ruf genießen wie das Bereicherungsrecht. Und auch wenn Schönheit bekanntlich im Auge des Betrachters liegt, würden wohl viele der Aussage zustimmen: Wenn Recht ästhetisch sein soll, dann bildet das Bereicherungsrecht das Musterbeispiel eines besonders unästhetischen Rechtsgebiets.

Dieser Beitrag geht der Frage nach, weshalb das Bereicherungsrecht als derart unästhetisch wahrgenommen wird und was getan werden müsste, um diese Wahrnehmung zu ändern. Veranschaulicht werden soll dies am Beispiel des Ausgleichs von Eingriffen in höchstpersönliche Rechtsgüter durch die Eingriffskondiktion. Dieses wenig diskutierte, aber praktisch relevante Problem lässt die wesentlichen Darstellungsprobleme des Bereicherungsrechts erkennbar werden.

Der Beitrag beginnt mit einer Einführung in die Grundlagen der Eingriffskondiktion und die Problematik des Eingriffs in höchstpersönliche Rechtsgüter (II.). Daran schließt sich eine Bestandsaufnahme des Bereicherungsrechts an (III.), auf Grundlage derer sich die drei wesentlichen Probleme des Bereicherungsrechts identifizieren lassen (IV.). Schließlich werden mögliche Lösungswege, Ansätze für ein „ästhetisches Bereicherungsrecht" präsentiert (V.).

II. Eingriffe in höchstpersönliche Rechtsgüter – warum Bereicherungsrecht?

Will man sich der Schönheit der Eingriffskondiktion anhand des Beispiels von Eingriffen in höchstpersönliche Rechtsgüter nähern, so bedarf es hierzu einer Standortbestimmung in zweierlei Hinsicht. Erstens: Wo steht die Eingriffskondiktion im System des deutschen Bereicherungsrechts? Und zweitens: Wo stehen Eingriffe in höchstpersönliche Rechtsgüter im System der Eingriffskondiktion?

1. Die Eingriffskondiktion im System des Bereicherungsrechts

Nach heute ganz überwiegender Auffassung unterteilt sich das Bereicherungsrecht in zwei grundlegend verschiedene Kategorien – die Bereicherung durch Leistung und die Bereicherung in sonstiger Weise.[1] Diese schon im Wortlaut des § 812 Abs. 1 S. 1 BGB angelegte Trennung hat zur Folge, dass die einzelnen bereicherungsrechtlichen Ansprüche (Kondiktionen)[2] in Leistungskondiktionen und Nichtleistungskondiktionen unterteilt werden.

Die wichtigsten Ansprüche aus beiden Kategorien liegen dabei normtextlich eng beieinander: § 812 Abs. 1 S. 1 Alt. 1 BGB regelt mit dem Anspruch wegen Leistung auf eine Nichtschuld, der *condictio indebiti*, den wichtigsten Anwendungsfall der Leistungskondiktion. § 812 Abs. 1 S. 1 Alt. 2 BGB ist wiederum Anknüpfungspunkt für die allgemeine Nichtleistungskondiktion. Der Oberbegriff der Nichtleistungskondiktion umfasst dabei ganz unterschiedliche Fälle: So regelt etwa die Zuwendungskondiktion (auch Durchgriffskondiktion genannt) Fälle der Nichtleistungskondiktion, die in engem Zusammenhang zu einer Leistungsbeziehung stehen – hierunter fällt insbesondere die Rückabwicklung in den berüchtigten Dreieckskonstellationen.[3]

Die Eingriffskondiktion als Unterfall der allgemeinen Nichtleistungskondiktion[4] knüpft an einseitige Eingriffe in fremde Rechte an. Das kann vielgestaltige

---

[1] Zum Widerstreit zwischen Einheits- und Trennungslehre ausführlich jeweils m. w. N. *Dieter Reuter / Michael Martinek,* Ungerechtfertigte Bereicherung, Tübingen 1983, 22 ff.; *Maximilian Wolf,* Bereicherungsausgleich bei Eingriffen in höchstpersönliche Rechtsgüter – Zugleich ein Beitrag zur Simulation von Verträgen durch die Eingriffskondiktion, Baden-Baden 2017, 37 f.

[2] Zur Entstehung der bereicherungsrechtlichen Ansprüche des BGB aus den römisch-rechtlichen *condictiones* siehe *Wolf* (Fn. 1), 108 ff.

[3] Näher zur Zuwendungskondiktion *Christiane Wendehorst,* in: Bamberger / Roth / Hau / Poseck (Hrsg.), BeckOK BGB, 46. Edition, München, Stand: 01.05.2018, § 812 Rn. 104 ff.

[4] Teilweise wird die Nichtleistungskondiktion als „Eingriffskondiktion im weiteren Sinne" bezeichnet und begrifflich von der „Eingriffskondiktion im engeren Sinne" unterschieden (grundlegend *Ernst von Caemmerer*, Bereicherung und unerlaubte Handlung, in: Festschrift für

Fälle betreffen, etwa die Nutzung eines fremden Kraftfahrzeugs ohne Zustimmung des Eigentümers, die Verwertung eines fremden Bildnisses ohne Zustimmung des Abgebildeten – oder, um ein höchst hypothetisches Beispiel zu wählen, die Veröffentlichung eines aus fremder Feder stammenden Beitrags unter eigenem Namen in einem Tagungsband.

In all diesen Fällen stellt sich die Frage, auf welche Rechtsfolge der Anspruch aus Eingriffskondiktion gerichtet ist. Das wiederum hängt eng mit der Frage zusammen, was eigentlich das „erlangte Etwas" im Sinne von § 812 Abs. 1 S. 1 BGB, also der Bereicherungsgegenstand ist. Vergleichsweise einfach zu bestimmen ist das, wenn ein verkörpertes Recht, insbesondere Eigentum, erlangt wird. Wird etwa im Falle des gesetzlichen Eigentumserwerbs nach § 946 BGB Eigentum an einer mit einem Grundstück verbundenen Sache erlangt, ist über §§ 951, 812 Abs. 1 S. 1 Alt. 2, 818 Abs. 2 BGB Ersatz für den Wertzuwachs des Grundstücks zu leisten. Dieser Wertzuwachs lässt sich anhand eines Vergleichs des Verkehrswerts vor und nach der Verbindung bestimmen.

Indes wird in den meisten Anwendungsfällen der Eingriffskondiktion gerade kein Eigentum erlangt. Vielmehr übt der Bereicherungsschuldner in der Regel nur Herrschaft über ein bestimmtes Recht aus, wie die bereits erwähnten Beispiele demonstrieren. Wer beispielsweise mit einem fremden Kraftfahrzeug durch die Gegend fährt, wird selbstredend nicht Eigentümer des Fahrzeugs. Auch wer ein fremdes Werk vervielfältigt, erlangt nicht das Urheberrecht an dem Werk. In diesen Fällen bereitet es daher Probleme, das „erlangte Etwas" zu bestimmen, und dieses Problem setzt sich bei der Bemessung der Rechtsfolge fort. Die herrschende Meinung behilft sich hier, indem sie darauf abstellt, welcher Preis auf einem Vergleichsmarkt für die betreffende Nutzungsmöglichkeit zu zahlen gewesen wäre. Das heißt für das Kraftfahrzeug etwa: Welchen Mietzins hätte ein Autovermieter verlangt? Und für das Werk aus fremder Feder: Welche Lizenzgebühr hätte der Urheber für die Vervielfältigung seines Werks verlangt?[5]

Doch nicht nur auf Rechtsfolgenseite, sondern auch auf Tatbestandsseite wirft die Eingriffskondiktion diffizile Probleme auf. Die herrschende Meinung geht davon aus, dass nicht der Eingriff in jede beliebige Rechtsposition einen Anspruch aus § 812 Abs. 1 S. 1 Alt. 2 BGB auslöst, sondern nur ein solcher in ein Recht mit „Zuweisungsgehalt". Im Detail besteht eine Vielzahl unterschiedlicher

---

Ernst Rabel, Band I, Tübingen 1953, 333 (352)). In diesem Beitrag wird dieser terminologischen Differenzierung nicht gefolgt und zwischen der Nichtleistungskondiktion als Oberbegriff und der Eingriffskondiktion als Spezialfall der Nichtleistungskondiktion unterschieden.

[5] Zu diesen und weiteren Beispielen siehe *Stephan Lorenz,* in: Staudinger, BGB, Neubearbeitung, Berlin 2007, § 818 Rn. 26 ff.

Ansätze zur Ausfüllung des Begriffs „Zuweisungsgehalt".[6] Verbreitet ist die Definition, dass das jeweilige Recht „üblicherweise marktmäßig verwertet" werden und daher „marktfähig" sein müsse.[7] Zu diesen Rechten zählen jedenfalls Eigentum und Immaterialgüterrechte. Für das allgemeine Persönlichkeitsrecht ist umstritten, ob und inwieweit ihm ein Zuweisungsgehalt zukommt.[8]

2. Höchstpersönliche Rechtsgüter im System der Eingriffskondiktion

Bislang recht wenig Beachtung gefunden hat die Anwendung der Eingriffskondiktion auf Eingriffe in höchstpersönliche Rechtsgüter. Als höchstpersönliche Rechtsgüter werden hier solche Rechte bezeichnet, die in besonders engem Zusammenhang zur Persönlichkeitsentfaltung stehen, also Körper, Gesundheit, Freiheit, sexuelle Selbstbestimmung sowie das allgemeine Persönlichkeitsrecht.[9] Eingriffe in solche Rechte lösen zunächst wenig Assoziationen an das Bereicherungsrecht aus, sondern scheinen eher auf deliktsrechtlichem Terrain zu spielen.

Dabei sind durchaus Fälle von Eingriffen in diese Rechte denkbar, in denen das Bereicherungsrecht relevant wird. Nimmt ein Arzt beispielsweise einem bewusstlosen Patienten Blut ab und verkauft dieses gewinnbringend weiter, hilft dem Patienten das Deliktsrecht nur bedingt weiter. Ein Schaden im Sinne des § 249 Abs. 1 BGB ist ihm nicht entstanden. Ein Schmerzensgeldanspruch aus Vertrags- oder Deliktsrecht in Verbindung mit § 253 Abs. 2 BGB dürfte zwar bestehen, doch wird das Schmerzensgeld angesichts des relativ geringfügigen Eingriffs eher gering zu bemessen sein.[10] Ein Anspruch aus Eingriffskondiktion hingegen könnte dem Patienten einen Weg eröffnen, den vom Arzt durch die Weiterveräußerung erlangten Gewinn abzuschöpfen.

Ähnlich liegen die Dinge in dem 2016 berühmt gewordenen Fall des von *Jan Böhmermann* im Fernsehen vorgetragenen Schmähgedichts über den türkischen

---

[6] Umfassend zu den verschiedenen Ausprägungen der Lehre vom Zuweisungsgehalt *Martin Schwab,* in: Münchener Kommentar zum BGB, 7. Auflage, München 2017, § 812 Rn. 277 ff.

[7] *Josef Esser / Hans L. Weyers,* Schuldrecht, Band II: Besonderer Teil, Teilband 2: Gesetzliche Schuldverhältnisse, 8. Auflage, Heidelberg 2000, 75 ff.; *Reuter / Martinek* (Fn. 1), 256 ff.; weitere Nachweise bei *Wolf* (Fn. 1), 146.

[8] Siehe die Übersicht bei *Schwab* (Fn. 6), § 812 Rn. 286 ff.

[9] Nicht behandelt werden hier Eingriffe in die weiteren höchstpersönlichen Rechtsgüter Leben und Urheberpersönlichkeitsrecht. Siehe dazu *Wolf* (Fn. 1), 42 ff., 53 ff., 329 ff., 395 ff.

[10] Der Anspruch dürfte aufgrund des Vorsatzes des Arztes und der untypischen Art des Eingriffs indes nicht gänzlich zu versagen sein (vgl. zur Bagatellschwelle bei § 253 Abs. 2 BGB und den dafür maßgeblichen Kriterien BGHZ 137, 142; zur Fortgeltung der Bagatellschwelle nach der Schuldrechtsreform *Dirk Buller / Rainer Heß,* Der Kinderunfall und das Schmerzensgeld nach der Änderung des Schadensrechtes, ZfSch 2003, 218 (220 f.); *Gottfried Schiemann,* in: Staudinger, BGB, Neubearbeitung, Berlin 2017, § 253 Rn. 23 ff.).

Präsidenten *Recep Tayyip Erdogan*:[11] Ein Schaden im Sinne des § 249 Abs. 1 BGB ist dem geschmähten *Erdogan* nicht entstanden. Ein Entschädigungsanspruch gemäß § 823 Abs. 1 BGB i. V. m. Art. 2 Abs. 1, 1 Abs. 1 GG käme zwar in Betracht, doch hängt die Höhe dieses Anspruchs von einer Vielzahl unterschiedlicher Faktoren ab.[12] Diese lassen sich vor Erhebung einer Klage kaum zuverlässig ermitteln, zumal zu Persönlichkeitsrechtsverletzungen von Staatsoberhäuptern kein *case law* besteht, an dem man sich für die Höhe der Entschädigung in derartigen Fällen orientieren könnte. Ein anderer Weg zum Ausgleich für *Erdogan* könnte indes sein, den Gewinn herauszuverlangen, den *Böhmermann* durch den Vortrag des Schmähgedichts erlangt hat.

Und schließlich bleibt auch ein provokantes Beispiel aktuell, das vor allem durch das Schuldrechtslehrbuch von *Larenz/Canaris* Bekanntheit erlangt hat: Kann eine vergewaltigte Prostituierte von ihrem Vergewaltiger über die Eingriffskondiktion den hypothetischen Prostituiertenlohn verlangen?[13]

III. Versuch einer Subsumtion von Eingriffen in höchstpersönliche Rechtsgüter – zugleich Bestandsaufnahme des Bereicherungsrechts

Die eingangs erwähnte Wahrnehmung des Bereicherungsrechts als undurchsichtiges und schwer handhabbares Rechtsgebiet bestätigt sich, versucht man, die vorstehend dargestellten Eingriffe in höchstpersönliche Rechtsgüter unter die allgemeinen Maßstäbe zu subsumieren.

Um mit dem Beispiel der „unfreiwilligen Blutspende" zu beginnen: Auf Tatbestandsebene fragt sich, ob der Arzt in ein Recht des Patienten mit Zuweisungsgehalt eingegriffen hat. Sind nun Körper und Gesundheit Rechte, die „üblicherweise marktmäßig verwertet" werden? Im Allgemeinen wird das zu verneinen sein, verwerten doch die wenigsten ihren Körper und ihre Gesundheit gegen Entgelt. Gleichwohl zeigt das Beispiel der Blutspende, dass es in Ausschnitten durchaus auch hier einen Markt gibt, schließlich gehen viele nicht primär aus idealistischen Motiven Blut spenden, sondern weil sich damit ein schnelles Zubrot verdienen lässt. Doch worauf kommt es nun an – eine Betrachtung von

---

[11] Näher zu den Umständen des Gedichts und seiner strafrechtlichen Beurteilung Generalstaatsanwaltschaft Koblenz v. 13.10.2016 – 4 ZS 831/16; *Christian Fahl*, Böhmermanns Schmähkritik als Beleidigung, NStZ 2016, 313; zum zivilrechtlichen Unterlassungsanspruch OLG Hamburg v. 15.05.2018 – 7 U 34/17.

[12] Übersicht über die maßgeblichen Kriterien bei *Matthias Prinz / Butz Peters*, Medienrecht – Die zivilrechtlichen Ansprüche, München 1999, Rn. 745 ff.

[13] *Karl Larenz / Claus-Wilhelm Canaris*, Lehrbuch des Schuldrechts, Zweiter Band: Besonderer Teil, 2. Halbband, 13. Auflage, München 1994, 171.

Körper und Gesundheit im Allgemeinen oder darauf, ob die konkrete Form des Eingriffs (Blutspende) Gegenstand eines Marktes ist?

Vergleichbare Probleme stellen sich im Fall *Erdogan*: Es mag zwar in die persönliche Ehre *Erdogans* als Ausfluss seines allgemeinen Persönlichkeitsrechts eingegriffen worden sein,[14] doch verwertet der türkische Präsident seine persönliche Ehre nicht marktmäßig. Dennoch lässt sich nicht behaupten, dass eine marktmäßige Verwertung der persönlichen Ehre generell ausgeschlossen wäre, davon zeugen Reality-TV-Formate wie „Promi Big Brother" und andere. Bestimmt sich der Zuweisungsgehalt nun nach den Verhältnissen von *Erdogan,* einem Teilnehmer bei „Promi Big Brother" oder einem verständigen Durchschnittsmenschen (und wenn ja, dem deutschen oder dem türkischen)?

Und auch im Beispiel der Vergewaltigung helfen die gängigen Kriterien kaum weiter: Während die große Mehrheit ihre sexuelle Selbstbestimmung nicht marktmäßig verwertet, besteht zugleich in jeder Gesellschaft dieser Welt ein Markt, auf dem Eingriffe in die sexuelle Selbstbestimmung gegen Geld gestattet werden. Wird in ein Recht mit Zuweisungsgehalt des Vergewaltigungsopfers vor diesem Hintergrund nur eingegriffen, wenn dieses sich prostituiert – oder genügt es für einen Zuweisungsgehalt der sexuellen Selbstbestimmung, dass irgendwelche Dritten sich prostituieren?

IV. Die drei wesentlichen Probleme des Bereicherungsrechts

Die vorstehenden Subsumtionsversuche zeigen, dass die etablierten bereicherungsrechtlichen Kategorien keine vernünftige Subsumtion von Eingriffen in höchstpersönliche Rechtsgüter erlauben. Versucht man, die Subsumtionsprobleme auf ihre Ursachen zurückzuführen, werden drei wesentliche Probleme des Bereicherungsrechts erkennbar: unklare Tatbestandsmerkmale, ein ausschließliches Denken in Fallgruppen sowie ein extrem hohes Abstraktionsniveau.

1. Unklarheit von Tatbestandsmerkmalen

Im Schrifttum ist die Lehre vom Zuweisungsgehalt teils als „Leerformel" bezeichnet worden.[15] Auch wenn man nicht ganz so weit gehen möchte, so ist der

---

[14] So OLG Hamburg v. 15.05.2018 – 7 U 34/17, Rn. 140 ff.; mit guten Gründen gegen die vom OLG Hamburg bestätigte Einschätzung der Vorinstanz *Nadine Klass,* Satire im Spannungsfeld von Kunstfreiheitsgarantie und Persönlichkeitsrechtsschutz, AfP 2016, 477 (485 ff.).

[15] *Gerd Kleinheyer,* Rechtsgutsverwendung und Bereicherungsausgleich, JZ 1970, 471 (472 f.).

Begriff des Zuweisungsgehalts doch immerhin stark auslegungsbedürftig.[16] Letztlich ist der Zuweisungsgehalt kein Tatbestandsmerkmal, sondern eine bloße Idee: Versteht man das Bereicherungsrecht als Instrument der Vorteilsabschöpfung, muss begründet werden, weshalb jemand berechtigt sein soll, den von einem anderen erzielten Vorteil abzuschöpfen. Die Lehre vom Zuweisungsgehalt versucht dies damit zu begründen, dass bestimmte Rechte nur ihrem Inhaber und niemandem sonst Vorteile zuweisen. Wenn aber die Antwort auf die Frage, welchen Rechten eine solche Vorteilszuweisung innewohnt, lautet, dies seien die Rechte mit (Vorteils-)Zuweisungsgehalt, dann ist dies – zumindest auf dieser Abstraktionsebene – ein Zirkelschluss.

Auch die Konkretisierung des Zuweisungsgehalts anhand der marktmäßigen Verwertung gelingt jedoch nicht, wie die vorstehend erörterten Beispiele gezeigt haben. Die Umrisse des Tatbestandsmerkmals bleiben unklar – weder ist klar, auf wessen Vermarktungsbereitschaft es ankommt, noch ob die Art des konkreten Eingriffs oder eine generelle Betrachtung des betroffenen Rechtsguts maßgeblich ist. Im Schrifttum wird der vage Begriff des Zuweisungsgehalts daher in der Regel anhand von Fallgruppen konkretisiert, insbesondere mit Blick auf Eigentum, Immaterialgüterrechte und die sogenannten kommerzialisierbaren Bestandteile des allgemeinen Persönlichkeitsrechts.[17] Worin das verbindende Element dieser Fallgruppen bestehen soll, wird allein aus einer Fallgruppenbetrachtung jedoch nicht deutlich.

2. Ausschließliches Denken in Fallgruppen – umgekehrte Subsumtion

Diese Arbeit mit Fallgruppen ohne erkennbar verbindendes Element begründet zugleich das zweite Problem – die Rechtsanwendung im Bereicherungsrecht basiert vielfach ausschließlich auf Fallgruppen. Um nicht missverstanden zu werden: Das Bilden von Fallgruppen als solches ist methodisch keineswegs zu beanstanden und für die praktische Anwendung abstrakter Rechtssätze überaus hilfreich. Zum Problem werden Fallgruppen indes, wenn sie einen abstrakten Rechtssatz nicht mehr konkretisieren, sondern an seine Stelle treten. Denn aus Fallgruppen lässt sich für die Lösung künftiger Rechtsfälle nichts gewinnen – Fallgruppen können kraft Natur der Sache nur den typischen Fall lösen, auf den sie zugeschnitten sind, nicht hingegen den atypischen Fall. Dass ein Eingriff in Eigentum und Immaterialgüterrechte einen Anspruch aus Eingriffskondiktion

---

[16] *Schwab* (Fn. 6), § 812 Rn. 278.

[17] *Marietta Auer,* in: Staudinger Eckpfeiler des Zivilrechts, Neubearbeitung, Berlin 2018, Rn. R.43; *Petra Buck-Heeb* in: Erman, BGB, 15. Aufl., Köln 2017, § 812 Rn. 65 ff.; *Lorenz* (Fn. 5), § 812 Rn. 23; *Schwab* (Fn. 6), § 812 Rn. 277 ff.

auslöst, lässt eben keinen Rückschluss darauf zu, ob ein solcher Ausgleich auch bei Eingriffen in höchstpersönliche Rechtsgüter möglich ist.

Treten Fallgruppen an die Stelle von Tatbestandsmerkmalen, ist eine Subsumtion nicht mehr möglich. Die Folge ist eine „umgekehrte Subsumtion", in der von der Fallgruppe auf die abstrakte Definition geschlossen wird: Weil ein Bereicherungsausgleich bei Eingriffen in Eigentum und Immaterialgüterrechte möglich sein soll und diese beiden Rechte üblicherweise marktmäßig verwertet werden und ihnen ein Vermögenswert zukommt, stellt die Definition des Zuweisungsgehalts auf die Üblichkeit marktmäßiger Verwertung bzw. den Vermögenswert des betroffenen Rechtsguts ab. Anhand einer derart gewonnenen Definition können jedoch keine weiteren Anwendungsfälle eingeordnet werden, aus denen die Definition nicht „erwachsen" ist.

Die „umgekehrte Subsumtion" ist ein charakteristisches Beispiel unästhetischer Rechtsanwendung: An die Stelle der methodisch richtigen Reihenfolge „Abstrakte Definition – Subsumtion des Einzelfalls – Ergebnis im Einzelfall" tritt die Reihenfolge „Ergebnisse in typischen Fällen – Entwicklung einer abstrakten Definition anhand gemeinsamer Eigenschaften dieser typischen Fälle – Subsumtion des Einzelfalls – Ergebnis im Einzelfall".

3. Zu hohes Abstraktionsniveau – verschleierte Wertung

Die Subsumtion eines konkreten Einzelfalls unter einen abstrakten Rechtssatz setzt notwendigerweise ein gewisses Abstraktionsniveau des Rechtssatzes voraus. Wird jedoch ein Abstraktionsniveau gewählt, das so hoch ist, dass die maßgebliche Wertung verborgen bleibt, ist eine Rechtsanwendung im Einzelfall nicht mehr möglich. So ist es nicht falsch, vom Zuweisungsgehalt zu sprechen, nur ist die Abstraktionsebene extrem hoch gewählt. Die eigentlich maßgebliche Wertung bleibt entsprechend im Dunkeln – und ohne diese Wertung lässt sich nicht ermitteln, ob im Einzelfall eine Interessenlage besteht, die es rechtfertigt, einen Anspruch aus Eingriffskondiktion zu gewähren.

Genau darin besteht auch das Problem in den berüchtigten Dreieckskonstellationen: Zumeist wird hier danach gefragt, zwischen welchen Beteiligten Leistungsbeziehungen bestehen und in welchen Fällen ausnahmsweise nicht in den Leistungsbeziehungen rückabzuwickeln ist, sondern stattdessen zwischen Beteiligten, die in keiner Leistungsbeziehung stehen. Auf diesem Abstraktionsniveau bleibt dem Studenten wenig anderes übrig, als für jede Dreieckskonstellation aufs Neue auswendig zu lernen, zwischen wem nun die Leistungsbeziehungen bestehen und ob ausnahmsweise ein Durchgriff gerechtfertigt ist – Wissen, das prädestiniert scheint, möglichst schnell wieder vergessen zu werden. Die in den Dreieckskonstellationen maßgebliche Wertung liegt eine Abstraktionsebene tiefer: Bei der Rückabwicklung zwischen mehreren Beteiligten soll sich jeder nur mit dem Vertragspartner auseinandersetzen müssen, den er sich selbst ausgesucht hat. Und noch eine Ebene tiefer: Jeder soll sich nur mit dem selbstgewählten Vertragspartner auseinandersetzen müssen, damit ihm Einwendungen aus dem jeweiligen Vertragsverhältnis erhalten bleiben und er nur das Insolvenzrisiko des Vertragspartners trägt, den er sich selbst ausgesucht hat.[18]

Nun sind die im Einzelfall maßgeblichen Wertungen bei den Dreieckskonstellationen kein Staatsgeheimnis, sondern in jedem guten Schuldrechtslehrbuch nachzulesen. Anders liegen die Dinge bei der Eingriffskondiktion, wo die zugrundeliegende Wertung völlig unklar ist. Grund dafür ist, dass die Standardfälle sich ohne diese Wertung lösen lassen – insbesondere die gängigen Fälle von Eingriffen in Eigentum und Immaterialgüterrechte. Weniger eindeutig liegen die Dinge bereits bei Eingriffen in das allgemeine Persönlichkeitsrecht: Während es plausibel erscheint, *Gunter Sachs* Ausgleichsansprüche zu gewähren, wenn er ohne seinen Willen auf seiner Yacht fotografiert wird,[19] ruft dies im Falle des *Erdogan*-Schmähgedichts Bedenken hervor.

Um weiterhin bei der Zuweisungsgehaltsformel bleiben zu können, behilft die Rechtsprechung sich beim allgemeinen Persönlichkeitsrecht daher mit einem Kunstgriff: Sie spaltet dieses Recht auf in kommerzialisierbare Bestandteile (mit Zuweisungsgehalt) und nicht kommerzialisierbare Bestandteile (ohne Zuweisungsgehalt).[20] Auch diese Unterscheidung kaschiert die zu hohe Abstraktionsebene jedoch lediglich. Indem die maßgebliche Wertung im Einzelfall nach wie vor nicht offengelegt wird, bleibt die Grenze zwischen kommerzialisierbaren und nicht kommerzialisierbaren Bestandteilen unscharf. Das zeigt sich deutlich daran, dass die Rechtsprechung bislang nur herausgearbeitet hat, welche Bestandteile des allgemeinen Persönlichkeitsrechts jedenfalls kommerzialisierbar sind, nicht hingegen abschließend bestimmt hat, welchen Bestandteilen die Kommerzialisierbarkeit fehlt.[21]

---

[18] *Michael Martinek,* in: Herberger / Martinek / Rüßmann / Weth / Würdinger (Hrsg.), juris-PK BGB, 8. Auflage, Saarbrücken 2017, § 812 Rn. 109.

[19] Zum zugrundeliegenden Fall siehe BGH v. 31.05.2012 (Playboy am Sonntag), NJW 2013, 793.

[20] Ausführlich hierzu mit Rechtsprechungsnachweisen *Wolf* (Fn. 1), 49 ff.

[21] Zu den Verschiebungen der Grenze zwischen kommerzialisierbaren und nicht kommerzialisierbaren Bestandteilen in der jüngeren Rechtsprechung siehe *Wolf* (Fn. 1), 259 ff.

V. Lösungsansätze

An die kritische Bestandsaufnahme schließt sich die Frage an, wie sich die dargelegten Probleme vermeiden lassen. Mit anderen Worten: Wie lässt sich das Bereicherungsrecht so handhaben, dass man wieder von der „Schönheit" der Eingriffskondiktion sprechen kann? Im Ausgangspunkt ist die Antwort simpel: Es bedarf klarer Tatbestandsmerkmale, einer korrekten Subsumtionsrichtung und eines angemessenen, nicht zu hohen Abstraktionsniveaus. Alle drei Forderungen setzen letztlich dasselbe voraus – dass die der Eingriffskondiktion zugrundeliegende Wertung herausgearbeitet wird.

1. Die Eingriffskondiktion als Schutz vor der Umgehung des Vertragsmechanismus

Diese selten beleuchtete Wertung besteht im Schutz vor der Umgehung des Vertragsmechanismus. In einer freien Gesellschaft darf niemand ohne Willen eines anderen auf dessen Rechte zugreifen. Will jemand auf Rechte eines anderen zugreifen, etwa weil er diese für sich nutzen will, bedarf er hierzu folglich dessen Zustimmung. Um diese Zustimmung einzuholen, steht der Vertrag als rechtliches Gestaltungsinstrument zur Verfügung. Will jemand beispielsweise mit einem Kraftfahrzeug fahren, das im Eigentum eines anderen steht, muss er hierzu grundsätzlich einen Vertrag mit dem Eigentümer schließen. Im Rahmen dieses Vertragsschlusses verpflichtet sich derjenige, der auf ein fremdes Recht zugreift, regelmäßig zur Zahlung einer Gegenleistung, beispielsweise eines Mietzinses.

Wer sich nun unredlich verhält und ohne Zustimmung eines anderen auf dessen Recht zugreift, umgeht diesen Vertragsmechanismus. Dadurch steht er zunächst besser als der Redliche: Während sich der Redliche im Regelfall zur Zahlung einer Gegenleistung verpflichtet hat, schuldet der Unredliche keine Gegenleistung, weil er keinen Vertrag geschlossen hat. Wer beispielsweise eigenmächtig mit einem fremden Kraftfahrzeug fährt, schließt keinen Mietvertrag und schuldet dementsprechend keinen Mietzins. Er steht damit besser als der Redliche, der sich zur Zahlung eines Mietzinses verpflichtet hat.[22]

Um zu verhindern, dass der Unredliche das „bessere Geschäft" macht als der Redliche, stellt die Eingriffskondiktion den Unredlichen nun genauso wie den Redlichen: Der Unredliche schuldet zwar keine Gegenleistung aus Vertrag, dafür aber aus § 812 Abs. 1 S. 1 Alt. 2 BGB.[23] So schuldet derjenige, der eigenmächtig mit einem fremden Kfz fährt, zwar keinen Mietzins gemäß § 535 Abs. 2 BGB,

---

[22] Ausführlich zu diesem „Gleichheitsproblem" *Wolf* (Fn. 1), 179 f., 195 f., 272 ff.

[23] Zu den Gemeinsamkeiten und Unterschieden zwischen dem simulierten Vertrag und einem „echten" Vertrag siehe *Wolf* (Fn. 1), 183 f.

dafür aber einen hypothetischen Mietzins aus § 812 Abs. 1 S. 1 Alt. 2 BGB. Dank der Eingriffskondiktion macht er somit im Ergebnis doch nicht das bessere Geschäft als der Redliche.

Das Tatbestandsmerkmal „Zuweisungsgehalt“ dient vor diesem Hintergrund zur Abgrenzung zwischen Rechten, bei denen ein Vertragsmechanismus typischerweise existiert, der vor Umgehung geschützt werden muss, und den Rechten, bei denen ein solcher Vertragsmechanismus typischerweise nicht existiert.[24] Das erklärt, weshalb jedenfalls Eigentum und Immaterialgüterrechten ein Zuweisungsgehalt zukommt: Diese Rechte werden auf Märkten gehandelt – hier liegt der Ursprung der „üblichen marktmäßige Verwertung“, auf die die herrschende Meinung abstellt.[25] Greift jemand in fremdes Eigentum oder ein fremdes Immaterialgüterrecht ein, stehen die Chancen daher gut, dass der Eigentümer bzw. Inhaber bereit gewesen wäre, diesen Eingriff zu gestatten. Folglich ist hier regelmäßig ein „redlicher Dritter“ denkbar, dem gegenüber der unredliche Eingreifer besser steht.

Zugleich erklärt diese Wertung auch die Probleme bei der Subsumtion von Eingriffen in höchstpersönliche Rechtsgüter unter das Tatbestandsmerkmal „Zuweisungsgehalt“. Höchstpersönliche Rechtsgüter werden in wesentlich geringerem Umfang auf Märkten gehandelt als etwa Eigentum und Immaterialgüterrechte. Vielfach besteht kein Vertragsmechanismus, weil der Rechtsinhaber überhaupt nicht bereit wäre, Verträge über das betreffende Rechtsgut zu schließen – die meisten lizenzieren weder ihr allgemeines Persönlichkeitsrecht noch ihre körperliche Unversehrtheit oder ihre sexuelle Selbstbestimmung. Im Regelfall besteht daher keine Interessenlage, in der der unredliche Eingreifer das bessere Geschäft macht. Ohne Bereitschaft des Rechtsinhabers zum Vertragsschluss existiert schlicht kein redlicher Dritter, der sich dem Rechtsinhaber gegenüber zur Gegenleistung verpflichtet hätte.[26]

Die Subsumtionsprobleme erwachsen nun daraus, dass sich umgekehrt auch nicht ohne weiteres behaupten lässt, höchstpersönlichen Rechtsgütern komme aufgrund der Seltenheit ihrer marktmäßigen Verwertung generell kein Zuweisungsgehalt zu. Denn in einigen Teilbereichen existieren eben auch hier Märkte – Blutspende, Promi Big Brother, Prostitution. Die oben erörterten Beispiele haben gezeigt: Die „Mutter aller Probleme“ ist die Unklarheit darüber, ob es für den Zuweisungsgehalt auf die Umgehung des Vertragsmechanismus im konkreten Fall oder auf eine allgemeine Betrachtung des betroffenen Rechtsguts ankommt. Aus der Offenlegung der zugrundeliegenden Wertung lässt sich folglich die Ur-

---

[24] *Wolf* (Fn. 1), 199 ff.

[25] Siehe auch *Wolf* (Fn. 1), 203.

[26] *Wolf* (Fn. 1), 201 f.

sache des unklaren Tatbestandsmerkmals ableiten, das seinerseits Ursache des ausschließlichen Denkens in Fallgruppen ist.

2. Zwei mögliche Auswege

Hat man sich die maßgebliche Wertung und die Ursache des unklaren Tatbestandsmerkmals einmal klargemacht, wird zugleich erkennbar, welche beiden Lösungswege denkbar sind: Erstens könnten Rechte anhand genereller Maßstäbe in solche mit und ohne Zuweisungsgehalt kategorisiert werden, indem beispielsweise gefragt wird, ob bei Eingriffen in diese Rechte *typischerweise* der Vertragsmechanismus umgangen wird. Zweitens könnten die Rechte anhand der Überlegung, ob *im Einzelfall* der Vertragsmechanismus umgangen wird, in solche mit oder ohne Zuweisungsgehalt kategorisiert werden.

a) Generelle Kategorisierung

Der Weg der generellen Kategorisierung ist der der herrschenden Meinung: Rechte werden unabhängig von der Art des Eingriffs im Einzelfall in solche mit und ohne Zuweisungsgehalt unterteilt.[27] In den typischen Fallgruppen ermöglicht das eine einfache Rechtsanwendung, da die in der Praxis schwierig zu beantwortende Frage vermieden wird, ob der Rechtsinhaber im Einzelfall zur Lizenzierung seines Rechts bereit war oder nicht. Dieser Vorteil wird indes erkauft durch massive Abgrenzungsprobleme außerhalb der typischen Fallgruppen, wie die oben erörterten Beispiele gezeigt haben. Denn außerhalb der typischen Fallgruppen ist unklar, wonach zu bestimmen sein soll, ob einem nur teilweise auf Märkten gehandelten Rechtsgut Zuweisungsgehalt zukommt. Soll genügen, dass irgendjemand das Recht marktmäßig verwertet (dann käme auch höchstpersönlichen Rechtsgütern zumeist ein Zuweisungsgehalt zu), oder genügt es erst, wenn zumindest eine Mehrheit der Rechtsinhaber das Recht marktmäßig verwertet (wie auch immer diese zu bestimmen sein soll)? Soll es darauf ankommen, dass die marktmäßige Verwertung rechtlich gebilligt wird, und wenn ja, wie liegen die Dinge, wenn bestimmte Arten der Verwertung rechtlich gebilligt werden und andere nicht (Blutspende ja, Organhandel nein)?

b) Kategorisierung im Einzelfall

Vermieden werden die dargelegten Abgrenzungsprobleme, wenn anstelle einer generellen Betrachtung darauf abgestellt wird, ob der Vertragsmechanismus im Einzelfall umgangen wird.[28] Entscheidend ist dann, ob der konkret betroffene

---

[27] Zu dieser Grundannahme der Lehre vom Zuweisungsgehalt *Wolf* (Fn. 1), 136 f., 208 f., 280 ff.

[28] In der älteren BGH-Rechtsprechung wurde ein Anspruch teilweise noch versagt, wenn

Rechtsinhaber das betroffene Recht gegen Zahlung einer Gegenleistung verwertet. Danach könnte der auf seiner Yacht fotografierte Prominente Zahlung einer hypothetischen Lizenzgebühr verlangen, wenn er regelmäßig derartige Lizenzen erteilt, nicht hingegen der türkische Präsident, der Eingriffe in seine persönliche Ehre nicht lizenziert.

Diese Lösung vermeidet die Abgrenzungsprobleme der herrschenden Meinung. Doch ist auch sie nicht frei von Nachteilen: In der Praxis wird eine schwierige Beweiserhebung darüber erforderlich, ob der Betroffene den Eingriff hypothetisch gestattet hätte. Zudem mag es dem Gerechtigkeitsempfinden widersprechen, dass der Eingreifer dadurch bessergestellt wird, dass der Betroffene Eingriffe in sein Recht generell nicht gestattet.[29] Dem zurückgezogen lebenden Prominenten wird beispielsweise kein Anspruch aus Eingriffskondiktion zustehen, wenn er sein Recht am eigenen Bild nicht lizenziert. Nur der Prominente, der ohnehin regelmäßig Einblick in seine Privatsphäre gewährt, kann auf Grundlage dieses Ansatzes Zahlung einer hypothetischen Lizenzgebühr verlangen.

3. *Weder noch? – Die Vertragssimulation als Ausprägung der Lehre vom faktischen Vertrag*

Was indes gegen beide Lösungswege spricht, ist, dass beide letztlich auf die Konstruktion eines faktischen Vertrages hinauslaufen.[30] Denn in beiden Fällen erzeugt die Eingriffskondiktion eine quasivertragliche Bindung ohne zugrundeliegende Willenserklärungen. Der Eingreifer schuldet die vertragliche Gegenleistung, ohne sich dem Rechtsinhaber gegenüber vertraglich verpflichtet zu haben. Ob er einen „echten" Mietzins aus § 535 Abs. 2 BGB oder einen hypothetischen Mietzins aus § 812 Abs. 1 S. 1 Alt. 2 BGB, ob er eine „echte" Lizenzgebühr aus Lizenzvertrag oder eine hypothetische Lizenzgebühr aus § 812 Abs. 1 S. 1 Alt. 2 BGB schuldet – all das macht im wirtschaftlichen Ergebnis keinen Unterschied.

Hält man sich dies vor Augen, steht die Eingriffskondiktion plötzlich in einer Reihe mit dem berühmten Hamburger Parkplatzfall: Jemand parkt und erklärt dabei offen, keine Parkgebühr zahlen zu wollen. Der BGH versuchte hier zu-

---

der Vertragsmechanismus im Einzelfall nicht umgangen wurde, siehe BGH v. 14.02.1958 (Herrenreiter), BGHZ 26, 349 (352 f.). In der späteren Rechtsprechung wurde dieses Verständnis jedoch zugunsten einer generellen Betrachtung aufgegeben, siehe *Wolf* (Fn. 1), 163 ff. m. w. N.

[29] Nicht zuletzt aus diesem Grund versagt die Rechtsprechung dem Bereicherungsschuldner den Einwand, er hätte den Eingriff gegen Entgelt nicht vorgenommen, und argumentiert, er müsse sich an dem von ihm geschaffenen Zustand festhalten lassen, vgl. BGH v. 08.05.1956 (Paul Dahlke), BGHZ 20, 345 (355); BGH v. 26.06.1979 (Fußballtorwart), NJW 1979, 2205 (2206); BGH v. 14.04.1992, NJW 1992, 2084 (2085).

[30] Grundlagen der Lehre vom faktischen Vertrag bei *Günter Haupt,* Über faktische Vertragsverhältnisse, Leipzig 1941, 9 ff.

nächst, einen Anspruch auf die Parkgebühr aus einem faktischen Vertrag abzuleiten, der ohne korrespondierende Willenserklärungen zustande käme.[31] Dieser Ansatz wird heute allgemein für überholt erachtet. Stattdessen wird überwiegend davon ausgegangen, dass die Lehre vom faktischen Vertrag gänzlich überflüssig sei, da sich die einschlägigen Fälle über § 812 Abs. 1 S. 1 Alt. 2 BGB lösen ließen.[32] Diese Überlegung zeigt deutlich, dass die Eingriffskondiktion im Verständnis der herrschenden Meinung und die Lehre vom faktischen Vertrag zwei Seiten derselben Medaille sind.

Damit werden indes auch all die Argumente, die gegen die Lehre vom faktischen Vertrag erhoben werden, insbesondere ihre Unvereinbarkeit mit der Rechtsgeschäftslehre des BGB[33], für die Eingriffskondiktion relevant. Es stellt sich nicht weniger als die Frage, ob die Auslegung von § 812 Abs. 1 S. 1 Alt. 2 BGB durch die herrschende Meinung in grundlegendem Widerspruch zu dem steht, was einige hundert Paragraphen zuvor in den §§ 145 ff. BGB niedergelegt ist.[34] Will man diese Friktionen vermeiden, bleibt letztlich nur die Option, die Rechtsfolge des Anspruchs aus Eingriffskondiktion grundlegend anders zu definieren, weg von einem Anspruch auf das hypothetische vertragliche Entgelt hin zu einem Anspruch auf Herausgabe eines tatsächlich erzielten Gewinns.[35]

VI. Fazit: Die Schönheit der Eingriffskondiktion

Wie auch immer man sich zwischen den aufgezeigten verschiedenen Varianten der Vertragssimulation oder sogar ganz gegen eine Vertragssimulation entscheidet – eines steht fest: Wenn die zugrundeliegende Wertung transparent gemacht wird, wird auch die verlorene Schönheit der Eingriffskondiktion wieder erkennbar. An die Stelle eines rechtlichen Instruments von nebulöser Reichweite tritt ein Anspruch, dessen Grundlagen ersichtlich sind und dessen Anwendungsbereich anhand klarer Leitlinien diskutiert werden kann.

Plötzlich wird eine Subsumtion unter die Anspruchsgrundlage wieder möglich. Auch die Relevanz von Meinungsstreits erschließt sich, etwa die Diskussi-

---

[31] BGH v. 14.07.1956, BGHZ 21, 319 (334 f.).

[32] *Christof Kellmann,* Grundsätze der Gewinnhaftung – Rechtsvergleichender Beitrag zum Recht der ungerechtfertigten Bereicherung, Berlin 1969, 128 f.; *Helmut Köhler,* Kritik der Regel „protestatio facto contraria non valet“, JZ 1981, 464 (467, 469); *Peter Lambrecht,* Die Lehre vom faktischen Vertragsverhältnis – Entstehung, Rezeption und Niedergang, Tübingen 1994, 108.

[33] Statt vieler *Reinhard Bork,* Allgemeiner Teil des Bürgerlichen Gesetzbuchs, 4. Auflage, Tübingen 2016, § 18 Rn. 744.

[34] *Wolf* (Fn. 1), 219 ff.

[35] *Wolf* (Fn. 1), 250 ff., 280 ff.

on, ob der Wertersatz bei § 818 Abs. 2 BGB objektiv zu bestimmen ist (so die logische Folge der Vertragssimulation) oder ob damit der vom Eingreifer erzielte Gewinn gemeint ist (so die eben aufgezeigte Alternative zur Vertragssimulation).[36] Auch gänzlich verschüttete Querverbindungen werden wieder erkennbar, wie die Nähe zwischen Eingriffskondiktion und faktischem Vertrag.

Und schließlich tun sich auch Wege zur Lösung der Frage nach dem Bereicherungsausgleich bei Eingriffen in höchstpersönliche Rechtsgüter auf: Je nachdem, auf welche Variante der Vertragssimulation man abstellt oder ob man eine Gewinnherausgabe der Vertragssimulation vorzieht, ergibt sich ein unterschiedlich weiter Anwendungsbereich der Eingriffskondiktion bei Eingriffen in höchstpersönliche Rechtsgüter.[37] Wer Rechtsgüter mit der herrschenden Meinung allgemein in solche mit und ohne Zuweisungsgehalt unterteilt, kann Eingriffe in höchstpersönliche Rechtsgüter nicht vernünftig mit der Eingriffskondiktion erfassen, da die Vertragssimulation dort anders als bei Eigentum und Immaterialgüterrechten nicht die Regel, sondern die Ausnahme ist. Wer hingegen auf die Umgehung des Vertragsmechanismus im Einzelfall abstellt, wird bei der „unfreiwilligen Blutspende" einen Anspruch aus Eingriffskondiktion nur gewähren, wenn der Patient zu einer Blutspende gegen Entgelt bereit gewesen wäre – dann allerdings auch nur gerichtet auf das übliche Entgelt für eine Blutspende und nicht auf den vom Arzt erzielten Gewinn. Dem türkischen Präsidenten wird er einen Anspruch aus Eingriffskondiktion versagen, da dieser sein allgemeines Persönlichkeitsrecht selbst nicht verwertet. Im Falle der Vergewaltigung wird er der Prostituierten einen Anspruch zuerkennen, nicht aber anderen Vergewaltigungsopfern. Und wer schließlich das Konzept des Vertragsmechanismus ganz ablehnt, kann einen Anspruch aus Eingriffskondiktion in diesen Fällen nur mit dem Inhalt zuerkennen, dass der Betroffene einen jeweils erzielten Gewinn abschöpfen kann.[38]

VII. Schlussbemerkung

Die Betrachtung des Anwendungsbereichs der Eingriffskondiktion bei Eingriffen in höchstpersönliche Rechtsgüter hat gezeigt, dass das Bereicherungsrecht einem schönen Möbelstück gleicht, das in einer dunklen Ecke unter einer dicken Staubschicht verborgen steht und dessen elegante Züge dahinter kaum noch zu

---

[36] Zur Diskussion *Lorenz* (Fn. 5), § 816 Rn. 23 ff.; zu den Konsequenzen einer Ablehnung der Vertragssimulation für die Rechtsfolge des Anspruchs aus § 816 Abs. 1 S. 1 BGB siehe *Wolf* (Fn. 1), 287 ff.

[37] Siehe hierzu *Wolf* (Fn. 1), 179 ff., 292 ff. und passim.

[38] Ausführlich zu einem entsprechenden Ansatz *Wolf* (Fn. 1), 280 ff., 354 ff., 383 ff., 407 ff.

erkennen sind. Befreit man dieses Möbelstück vom Staub der unklaren Tatbestandsmerkmale, der umgekehrten, fallgruppenbasierten Subsumtion und des extrem hohen Abstraktionsniveaus, zeigt sich, dass sich das Bereicherungsrecht unter ästhetischen Gesichtspunkten nicht hinter anderen Rechtsgebieten verstecken muss – sogar das Bereicherungsrecht kann gelingendes Recht werden.

Ästhetik als Herausforderung in der Fallbearbeitung

Eine Vorstudie

*Martin Groß**

„Bildchen malen ist nun mal nicht die adäquate Ausdrucksform für Juristen", zitiert Klaus F. Röhl in seinem Werk „Die Bilderscheu der Jurisprudenz" einen nicht näher benannten Hochschullehrer und arbeitet sich an dieser These ab.[1] Ich will versuchen, seinen Ansatz aufzugreifen und aufzuzeigen, dass sich rechtliches Denken am Ästhetischen spiegeln lässt.

Ästhetik und Jurisprudenz, philosophische Ästhetik, ästhetische Theorie und rechtswissenschaftliche Grundlagendiskussion, die Thematisierung von Formierungs- und Formungsprozessen auch unter dem Gesichtspunkt der Rechtswissenschaft ist ein Thema, das lohnt.[2] Ein Blick in andere Professionen mag hier ermuntern, jedenfalls wenn man Ästhetik nicht auf die Theorie der Kunst und des Schönen, auf eine Konsekration des verfeinerten bourgeoisen Geschmacks verengt, sondern die Ästhetik versteht als ein ganzes Regime der Erfahrungen, wirkmächtig, auch und gerade von starker politischer Wirkung.[3] Wenn Ästhetik nach der Überzeugung des französischen Rechtsphilosophen Jacques Rancière Revolutionen gestalten kann, warum soll sie dann im Recht nicht wirken? Und dann, gerade zum Redaktionsschluss für diesen Beitrag, zitiert die FAZ Alexander Gottlieb Baumgarten zur ästhetischen Denkart als Komplettierung des längst etablierten Vernunftdenkens: „Mit Hilfe der Kunst können wir Aspekte der Welt

---

* Der Autor ist Präsident des Gemeinsamen Juristischen Prüfungsamtes der Länder Berlin und Brandenburg; der Text gibt seine private Meinung wieder.

[1] *Klaus F. Röhl*, Die Bilderscheu in der Jurisprudenz; online: http://www.ruhr-uni-bochum.de/rsozlog/daten/pdf/visuelle_rk/Roehl%20-%20VRK%20-%20II02%20-%20Bilderscheu.pdf, S.1 (15.2.2019).

[2] *Jörn Reinhardt*, Zur Tagung „Recht und Ästhetik" im Februar 2013; online: https://www.uni-bielefeld.de/ZIF/AG/2013/02-11-Reinhardt.html (15.2.2019).

[3] *Jacques Rancière*, Politik und Ästhetik, Wien 2016, 38 f., 48 ff.

erkennen, für die es keine Begriffe gibt, für die wir also ohne Kunst kein Bewusstsein hätten".[4]

Naheliegend mag es sein, mit Blick auf die Kunst zunächst die Verwandtschaft zwischen dem Recht in seiner Anwendung und der Literatur, hier vor allem dem Drama, und dann in Symmetrien zwischen der Gerichtsverhandlung und dem Theater zu suchen, um so die unhintergehbare performative Dimension des Gerichts(verfahrens) zu betonen, wie dies Cornelia Vismann in ihrem Werk „Medien der Rechtsprechung" getan hat.[5] Man landet dann zwangsläufig bei den Eumeniden des Aischylos: „Athene, Herold, die Richter des Areopags, Volk, alles gruppiert sich zum Gericht"[6]. Das Recht tritt an die Stelle der Rache der Erinnyen, die zu den Eumeniden werden. Das reflektiert dann auch noch Luhmanns Erkenntnisse zur „Legitimation durch Verfahren" und wäre ein brauchbarer Ansatz.

Man kann einen anderen Weg nehmen und die Leistungen des Gesetzgebers an ästhetischen Kategorien messen, wie dies Jürgen Kohler hier in Greifswald getan hat. Die gesetzgeberischen Leistungen bei der Umsetzung der Verbraucherrechte–Richtlinie laden zu polemischen Skizzen, die ihre Rechtfertigung aus der Ästhetik ziehen, geradezu ein. Dies ergibt dann die Forderung nach einer eleganten Lösung, die zugleich eine gewisse Vermutung für Güte und Richtigkeit haben mag.[7]

Ebenfalls ein Ansatz mag die Befassung mit der Ästhetisierung der Ordnung als einem wissenschaftlich wichtigen Strukturelement des Rechts sein, und man mag ausgehend hiervon die Bedeutung von Symmetrie und Harmonie bei der Entscheidung rechtlicher Fragestellungen untersuchen.[8] Vielleicht finden wir in der Ästhetik ja nicht zuletzt einen dritten Weg zu juristischer Richtigkeit[9] oder – noch besser – zu juristischer Gelungenheit[10]. Schließlich, eine der umfangreicheren aktuellen Untersuchungen zum Thema ist die Studie von Daniel Damler zur Rechtsästhetik, die sich mit der Wirkung von Bildern und Metaphern auf das Rechtsdenken beschäftigt.[11] Herausgegriffen sei hier die These von der „Ener-

---

[4] Frankfurter Allgemeine Zeitung, 26.9.2018, N 1: „Die Klugheit der Kresse".

[5] *Cornelia Vismann*, Medien der Rechtsprechung, Frankfurt a. M. 2011, 19.

[6] *Vismann* (Fn. 5), 86

[7] *Jürgen Kohler*, Das Sein verstimmt das Bewusstsein – Eine (polemische) Gedankenskizze zur Umsetzung der Verbraucherrechte-Richtlinie, GreifRecht 2014, 85, 86.

[8] *Götz Schulze*, Symmetrie und Harmonie im Recht – eine Skizze, in: Hans-Joachim Petsche (Hrsg.), Symmetrie und Harmonie? Symmetrie und Harmonie, Symmetriebrechung und Disharmonie im Fokus der Wissenschaften, Berlin 2018, 75, 76 f.

[9] So *Joachim Lege* in dem grundlegenden Werk zu der Thematik: Pragmatismus und Jurisprudenz, Tübingen 1999, 564 ff.

[10] *Lege* (Fn. 9), 582 ff., zugleich das Thema der Tagung vorwegnehmend.

[11] *Daniel Damler*, Rechtsästhetik – Sinnliche Analogien im juristischen Denken, Berlin 2016.

gie", dem energetischen Monismus als Leitmetapher gesellschaftlichen und vor allem auch wissenschaftlichen Denkens im späten 19. Jahrhundert. Damler zieht hier eine direkte Verbindungslinie von Menzels Eisenwalzwerk[12] zur Rechtsscheinslehre des Reichsgerichts und zu dem ebenso geläufigen Begriff vom „Erlöschen der Forderung", zur „Feuer- und Energie-Metaphorik" des BGB.[13]

Also, Vorstudie zur Ästhetik in der Fallbearbeitung. Das greift einen alten Gedanken auf. Es gibt in der Entscheidung des Rechtsfalles Wirkungskräfte, die wir in unserer Form der Entscheidungsbegründung nicht abbilden und über die wir uns häufig auch nicht Rechenschaft ablegen.[14] Wir nennen das üblicherweise Rechtsgefühl, ein Begriff, den schon Thibault kannte: „Der Verstand wird in der Regel immer den Grundsatz, welchen das Gefühl in den Entscheidungen ausgedrückt, erkennen müssen und vieles entdecken, worauf ihn ein bloßes systematisches Raisonnement nie geführt haben würde".[15] Ästhetische Denkmuster gehören zu diesen Wirkungsmechanismen.

Wir werden nicht in der Lage sein, diese Prozesse genau zu beschreiben, sie verweigern sich naturgemäß der Mathematisierung, die unser überkommenes und gerade unser deutsches dogmatisch geformtes Rechtsdenken prägt. Auf das Problem hat bereits Kant hingewiesen: „Das Geschmacksurteil ist also kein Erkenntnisurteil, mithin nicht logisch, sondern ästhetisch, worunter man dasjenige versteht, dessen Bestimmungsgrund nicht anders als subjektiv sein kann".[16] Die Auseinandersetzung mit diesen Fragestellungen ist daher naturgemäß individualistisch subjektiv, und das ist – jedenfalls von mir – auch gewünscht.

Letztlich geht es um das Verhältnis von Logik, Wertung und Kreativität im Recht. Man kann hier die These von Großfeld aufgreifen, ob wir unsere Konzentration auf abstrakte Zeichen, auf den Mythos einer Rechtsanwendung von mathematischer Präzision, nicht zu weit getrieben haben.[17] Ich will daher der Frage nachgehen, ob man rechtliche Entscheidungsprozesse in Bildern spiegeln und daraus Rückschlüsse für die Art der Arbeit am Fall finden kann. Damler hat dies an Holbeins Gemälde „Die Gesandten" versucht[18].

---

[12] *Adolph von Menzel*, Eisenwalzwerk. Alte Nationalgalerie, Berlin, https://www.artatberlin.com/portfolio-item/das-eisenwalzwerk-adolph-menzel/ (15.2.2019).

[13] *Damler* (Fn. 11), 165; nicht ganz überzeugt *Joachim Lege* in seiner Rezension: Rechtsästhetik, RW 2017, 351, 354.

[14] Als ein Beispiel für viele: *Kathleen Jäger*, Unbewusste Vorurteile und ihre Bedeutung für den Richter, DRiZ 2018, 24 ff.

[15] *Anton Friedrich Justus Thibaut*, Theorie der logischen Auslegung des Römischen Rechts, Altona 1799, 136.

[16] *Immanuel Kant*, Kritik der Urteilskraft (1790), Werke in sechs Bänden, Band 5, Darmstadt 1983, 279.

[17] *Bernhard Großfeld*, Zeichen und Bilder im Recht, NJW 1994, 1911, 1914.

[18] *Damler* (Fn. 11), 26 f.

Das klassische Bildzeichen des Juristen ist die Justitia, dort vor allem die Waage und auch noch das Schwert. Unsere Profession verfügt damit für ihre Kernkompetenzen des Abwägens und des Entscheidens über ein Bildzeichen, welches universelle Gültigkeit beansprucht und weltweit verstanden wird; ein erster Ansatz.

Der dann, soweit ich das beurteilen kann,[19] letzte Versuch, auch komplexe Rechtstexte umfangreich zu bebildern, Rechtssprache und Bildzeichen zu kombinieren, sind die illustrierten *codices picturati*, die Handschriften des Sachsenspiegels, die an der Schwelle vom mündlichen zum schriftlichen Verfahren stehen. Der Sachsenspiegel musste nicht notwendig illuminiert werden, die meisten überlieferten Exemplare sind es nicht. In der Illumination wird aber durchaus der Versuch deutlich, neben der Sprachinformation das Bild als Informationsträger zu nutzen. Etwa als Mahnung an den Richter, die Beine als Zeichen richterlicher Ruhe übereinanderzuschlagen.[20] Das Zeichensystem selbst war wohl überkomplex, es wurde schon vom Kopisten nicht mehr verstanden,[21] das Bild zügig durch das Schriftzeichen verdrängt.

Es gibt dann im Bereich der bildenden Kunst gelegentlich Werke, deren Gegenstand die Darstellung des Rechtshandelns ist. Zurückgegriffen sei auf zwei Beispiele aus dem Werk des Abraham Salomon: „Waiting for the verdict“[22] und „Not guilty“[23]. Salomon wählt das Geschehen im Gerichtssaal, der Blick ist von außen in den Saal gerichtet. Die Szenen zeigen die Familie des Angeklagten im Vorraum, furchtsam wartend auf die Entscheidung der Jury. Im Gerichtssaal, im hinteren Drittel des Bildes platziert, ist der Richter, überstrahlt durch das durch die Fenster fallende Licht der Sonne, letztlich nur undeutlich zu erkennen, Apotheose der Gerechtigkeit. Das zweite Bild zeigt die emotional aufwühlende Erleichterung nach der Entscheidung, dem Freispruch. Die Bildsprache stellt das Prozesshafte der Entscheidungsfindung, die Wirkung des Verfahrens auf die Betroffenen in den Vordergrund. Das ist nicht unwichtig, verdeutlicht, dass es vor Gericht um etwas geht. Das hätte dann Bezüge zum Werk von Vismann. Ob die Ästhetik heute noch anspricht, mag jeder selbst beurteilen.

---

[19] Von der Illuminierung des Schwabenspiegels in der Mitte des 15. Jahrhunderts durch die Werkstatt des Elsässers Diebold Lauber soll hier nicht gesprochen werden.

[20] *Katharina König*, Scheltegestus und Urteilsrosen, ZRG (GA) 127 (2010), 33, 39.

[21] So *König* (Fn. 20) für die Urteilsrose.

[22] http://www.tate.org.uk/art/artworks/solomon-waiting-for-the-verdict-t03614 (15.2.2019); Tate Gallery, London.

[23] http://www.tate.org.uk/art/artworks/solomon-not-guilty-the-acquittal-t03615 (15.2.2019); Tate Gallery, London.

Der Komplexität rechtlichen Denkens angemessen wäre dann vielleicht eher ein Werk von Jackson Pollock: „Full Fathom Five“[24]. Aus meiner richterlichen Tätigkeit erinnere ich hinreichend Fälle, die den Beteiligten ähnlich komplex erschienen. Festgehalten sei zudem, dass sich hinter dem Bild ein Zitat versteckt, und mit: „Full Fathom Five Thy Father Lies“[25] wären wir dann bei der Schönheit der Sprache und bei einer weiteren ästhetischen Kategorie.

Dann, Rechtswissenschaft lebt vom Denken. Die Schönheit des Denkens lässt sich in der Schönheit des Denkers darstellen. Wir hätten da aus meiner Sicht zwei Ansätze. Zunächst einmal Rodin mit dem mächtigen Haupt des Balzac.[26] Es gibt durchaus Situationen im Gerichtssaal, die dieser streitbare Denker besser illustriert als die eher blutleeren, vampirhaften Juristengestalten des Daumier. Diese sind hinlänglich bekannt, hier verzichte ich auf ein Beispiel. Nach meinem Geschmack auch nicht ungeeignet wäre Lehmbrucks kühler, abwägender, aber nicht interessenloser Denker aus dem Hamburger Bahnhof in Berlin.[27] Man könnte dies fortsetzen mit Bildern deutscher Rechtsdenker, etwa mit einem Bild von Theodor Maunz, welches durchaus die ästhetischen Vorstellungen dieses Archetypus bedient,[28] hätte dann aber das gleiche Problem, auf das Lege[29] in seiner Kritik an Jean Bodin hinweist. Maunz hat zwar keinen „De Magorum Daemonomania“ geschrieben, aber doch so einiges, welches man kaum dem Bereich der Ästhetik zuordnen kann.

Hinzugefügt aus persönlichem Interesse der Versuch, meine Überlegungen an einem anderen Bild zu illustrieren: David mit dem Haupt des Goliath von Caravaggio[30]. Es gibt mehrere Versionen des Werkes, das in Wien kenne ich am besten, also dieses. Die Geschichte, die uns hier erzählt wird, ist die Geschichte einer Auseinandersetzung auf Leben und Tod, ein gravierender Konflikt, der auch dem Recht nicht fremd ist. Die Geschichte ist komplex, sie hat Ursachen, sie hat Wirkungen, die wollen erzählt sein.

Das Bild ist nicht schön. Ein abgeschlagener Kopf ist kein klassisches Sujet der Ästhetik. Das ist beim Recht aber ähnlich. Unsere Fälle kommen aus der

---

24 https://www.moma.org/collection/works/79070 (15.2.2019); The Museum of Modern Arts (MOMA), New York.

25 Ariels Song in *William Shakespeares* „The Tempest“.

26 http://www.french-artzzz.net/wp-content/uploads/2016/09/Rodin-1-e1473154698327.jpg (15.2.2019); Musée Rodin, Paris.

27 https://www.smb.museum/fileadmin//user_upload/Bild_8_Lehmbruck_Kopf_eines_Denkers_klein.jpg (15.2.2019); Hamburger Bahnhof, Berlin.

28 https://de.wikipedia.org/wiki/Theodor_Maunz#/media/File:Theodor_Maunz_01.jpg (15.2.2019).

29 *Lege* (Fn. 9), 351, 355.

30 https://www.khm.at/objektdb/detail/426/?offset=20&lv=list (15.2.2019); Kunsthistorisches Museum, Wien.

Welt, und gerade wo sie nicht schön ist, verdienen Juristen ihr Geld. Wir müssen das aufgreifen und transformieren, aber dürfen es nicht leugnen. Dann, das Bild taugt nicht für die Geisterbahn. Auch dies eine klassische juristische Aufgabe. Das Bild teilt die Welt nicht in Schwarz und Weiß. Böse und Gut sind nicht eindeutig zugeordnet. Jedenfalls bei dem Pendant in der Villa Borghese in Rom spekuliert die kunsthistorische Forschung, ob der abgeschlagene Kopf ein Selbstbildnis des Künstlers sein könne. Das Gemälde hat wunderbare Proportionen, gelungene Schwerpunktsetzung, reduziert auf das Wesentliche. Die eigentliche Geschichte ist aus dem Zentrum gerückt; wenn sie genau hinsehen, können sie die Prellmarke auf dem Schädel erkennen. Letztlich die Bildsprache, die Verteilung von Licht Schatten, das setzt Maßstäbe bis heute.

Und damit hätten wir schon eine ganze Reihe an ästhetischen Kategorien gesammelt, die wir in der Fallbearbeitung möglicherweise nutzbringend verwenden können.

Dabei wäre der Begriff der Fallbearbeitung ein wenig zu präzisieren. Der Gebrauch im akademischen Umfeld suggeriert die Klausur in der Fortgeschrittenenübung Zivilrecht: A trifft B, indes ist C arglistig, der Mangel versteckt und der Notar bei Aufnahme des Vertrages unerkannt geisteskrank – Wie ist die Rechtslage?

Das verkürzt grobfahrlässig. Die Arbeit am praktischen Fall begleitet die jungen Leute über den ganzen Weg ihrer Studien, zum theoretischen Zentrum, zum Leitthema der Ausbildung, dem Geschehen im Gerichtssaal und dem Versuch der Gesellschaft, dort den Konflikt mit allen seinen Facetten angemessen zu spiegeln und einer Lösung zuzuführen.

Dies bedacht, haben wir den vollen Blick auf eine reiche Bühne frei, mit unzähligen ästhetischen Elementen, der zweifachen Grundmodalität gerichtlicher Verfahren, seine Rahmung als Theater und Kampf, mit den Jurist*innen als maßgeblichen Akteur*innen auf dieser Bühne.

Soweit, aber kurz bremsend. Auch Radbruch hat sich in seiner Rechtsphilosophie mit der Ästhetik als Kategorie des Rechts auseinandergesetzt. Ich erlebe ihn sehr zurückhaltend. Er betont die deutliche Sonderung von Recht und Kunst, die klare und kalte Rechtsprache, die selbstgewählte Armut ihres Lapidarstils, verdanke sich gerade der Abkehr von ästhetischen Kategorien, was Radbruch durchaus als Gewinn versteht. Freude findet sich noch an der eleganten Lösung, wenn sie zur richtigen Lösung rechtlicher Fragen hinzutritt.[31] Man kann den Satz mehrfach lesen, ich bin mir sicher, der Radbruch von 1932 findet die richtige Lösung durchaus hinreichend. Dies mag als Hinweis auf das Problem bei der

---

[31] *Gustav Radbruch*, Rechtsphilosophie, Leipzig 1932, hier zitiert nach der Studienausgabe, Heidelberg 1999, 104 f.

Verwendung ästhetischer Kategorien im Recht nutzen. Mit zu viel Rechtsgefühl kann man alles Mögliche anfangen. „Die Nazis haben ab 1933 das wahre Rechtsgefühl der Deutschen Rasse beschworen und so mit dem wissenschaftlich-jüdischen Rechtspositivismus aufgeräumt“, meint jedenfalls Rainer Maria Kiesow;[32] ähnlich die Beobachtungen von Joachim Lege zum Rechtsdenken Carl Schmitts und den Versuchen, mit ästhetischen Kategorien den verhassten, weil rechtssicheren „jüdischen Positivismus“ durch das Führerprinzip zu überwinden.[33]

Man muss diese Gefahr sehen und kann sie nicht einfach durchgehen lassen. Die erste Beruhigung mag man bei Thibault finden, der hierzu schon 1799 bemerkte: „Ein schiefer Kopf kann freilich dieselbe [Methode] missbrauchen, dadurch wird sie aber noch nicht unerlaubt, denn sonst würde es ja überhaupt keinen Richter im Staate geben“.[34]

Vor allem aber wichtig scheint mir hier die Beobachtung, dass gerade unter dem Eindruck des Geschehens dieser 12 Jahre des Nationalsozialismus dann 1947 von Triepel das Werk „Vom Stil des Rechts – Beiträge zu einer Ästhetik des Rechts“ erscheint. Die Fassungslosigkeit des alten Gelehrten über das gerade Erlebte spricht aus allen Zeilen des Buches und eben der Versuch, gerade auch ästhetische Kategorien gegen ein wahnsinniges Unrechtssystem nutzbar zu machen.[35]

Die Lösung wäre im Beitrag Joachim Leges angedeutet. Die produktiven Möglichkeiten der Ästhetik bezeichne das „Vermögen, in einem Rechtsfall die bessere Lösung als solche zu erkennen und wahrzunehmen“[36]. Das suspendiert nicht vom klaren Denken. Die Mahnung Schopenhauers, dass klares, kühles Denken die erste Voraussetzung für eine saubere Gedankenführung, für die Entwicklung einer rationalen Entscheidung ist, die sich dann in einer deutlichen, verständlichen Sprache spiegelt, sollte Teil unserer juristischen Ausbildung sein. Klares, kühnes Denken ist schön, siehe den Denker von Lehmbruck. Angemessene Proportionen bei der Auseinandersetzung mit dem Rechtsfall, die Entwicklung eines Gedankens der Lösung unter Verwendung der Gedanken aus Äußerungen der Literatur und der Rechtsprechung, das darf sich durchaus an ästhetischen Kategorien orientieren. Und natürlich ist unsere Sprache kühl und sachlich,

---

32 *Rainer Maria Kiesow*, Eine kleine, total unvollständige Rechtsgefühlsgeschichte, in: Ästhetik und Kommunikation, Heft 151: Rechtsempfinden, 2010/2011, 9 (10).

33 *Lege* (Fn. 9), 565.

34 *Thibaut* (Fn. 15), 126.

35 „In der Tat gibt es wohl keine Periode der Rechtsgeschichte, in der sich der Staat oder der Personenkreis, der sich als Staat ausgab, … so sehr mit der Vornahme von Akten befleckt hat, die als häßlich anzusehen sind …“ (*Heinrich Triepel*, Vom Stil des Rechts – Beiträge zu einer Ästhetik des Rechts, Heidelberg 1947, 86).

36 *Joachim Lege*, Ästhetik als das A und O „juristischen Denkens“, RPhZ 2015, 28, 33.

sine ira et studio. Das gehört zu unserer Profession. Aber wir können in dieser Sprache Sachverhalte und Beurteilungen präzise ausdrücken. Die Sprache ist kühl, emotionsarm, aber doch gerne auch elegant. „Ius est ars aequi et boni", zitiert Paulus in den Digesten den Juristen Celsus und lobt sogleich das Elegante an der Formulierung, eindeutig eine Beurteilung nach ästhetischen Kategorien.[37] Unser Rechtsystem in seiner Komplexität und – wenn man einmal von den Regeln zum Verbraucherschutzrecht absieht – ist eine kühne, rationale und ästhetisch ansprechende Konstruktion. Die Grundrechte sind schön.[38]

Das alles gehört in die Hörsäle und es gehört natürlich auch in die Leistungen, die wir dann im Rahmen der Ausbildung unseren jungen Leuten abfordern.

Dies suspendiert nicht von den Mühen der Ebenen. Der Weg zur erfolgreichen Jurist*in führt über das Lernen und auch das stupide Auswendiglernen. Die Lösungsschemata, die Entscheidungen, die Leitsätze, die saubere Subsumtion, all dies will immer wieder geübt und – auch – monoton wiederholend eingeübt werden. Eine Aufgabe, die der Repetitor gegen mittlere Münze gerne übernimmt.[39] Nur, wer hier stehen bleibt, verfehlt das Wesentliche des Fachs. Gerade für das Mehr, welches das juristische Leben lohnend und lebenswert macht, bedarf es eines Gefühls für die Schönheit und die Ästhetik des Rechts. Vor diesem Hintergrund bin ich der Tagung für die vielen Anstöße zu Überlegungen in dieser Richtung dankbar.

---

[37] So zutreffend *Triepel* (Fn. 35); hingewiesen sei hier auch auf die Beobachtung Damlers, dass gerade die Naturwissenschaftler, etwa Heisenberg und auch Einstein, Einfachheit und Schönheit durchaus als Qualitätskriterien für eine naturwissenschaftliche Theorie akzeptiert haben; *Damler* (Fn. 11), 198 ff.

[38] So der Titel des Aufsatzes von *Herrmann Pfütze*, Ästhetik und Kommunikation, Heft 151: Rechtsempfinden, 2010/2011, 21.

[39] Besser allerdings, man organisiert sich selbst und nutzt die Angebote der Fakultäten; siehe auch: Selbsthilfe gegen den Jura-Stress, Tagesspiegel vom 3.9.2018,11.

Autorenverzeichnis

Prof. Dr. Eva Maria Belser, Lehrstuhl für Staats- und Verwaltungsrecht, Co-Direktorin des Instituts für Föderalismus, Universität Freiburg (Schweiz)

Dr. Helene Bubrowski, Politische Korrespondentin in der Parlamentsredaktion, Frankfurter Allgemeine Zeitung

Martin Groß, Präsident des Gemeinsamen Juristischen Prüfungsamtes der Länder Berlin und Brandenburg

Prof. Dr. Dr. Kai-Michael Hingst M.A., Rechtsanwalt, Noerr LLP, Hamburg / Bucerius Law School, Hamburg

Prof. Dr. Joachim Lege, Lehrstuhl für Öffentliches Recht, Verfassungsgeschichte, Rechts- und Staatsphilosophie, Universität Greifswald

Prof. Dr. Götz Schulze †, Lehrstuhl für Bürgerliches Recht, Europäisches Privatrecht, Internationales Privat- und Verfahrensrecht und Rechtsvergleichung, Dekan der Juristischen Fakultät, Universität Potsdam

Prof. Dr. Hans-Joachim Strauch, Präsident des Thüringer Oberverwaltungsgerichts a. D. / Universität Jena

Dr. Maximilian Wolf, Rechtsanwalt, Baker & McKenzie, Düsseldorf / Tel Aviv